O ENIGMA DA BÍBLIA DE GUTENBERG

MAURÍCIO ZÁGARI

O ENIGMA DA BÍBLIA DE GUTENBERG

Copyright © 2017 por Maurício Zágari
Publicado por Editora Mundo Cristão

Os textos das referências bíblicas foram extraídos da *Nova Versão Transformadora* (NVT), da Editora Mundo Cristão (usado com permissão da Tyndale House Publishers, Inc.), e da *Almeida Revista e Corrigida* (RC), da Sociedade Bíblica do Brasil.

Todos os direitos reservados e protegidos pela Lei 9.610, de 19/02/1998.

É expressamente proibida a reprodução total ou parcial deste livro, por quaisquer meios (eletrônicos, mecânicos, fotográficos, gravação e outros), sem prévia autorização, por escrito, da editora.

CIP-Brasil. Catalogação-na-fonte
Sindicato Nacional dos Editores de Livros, RJ

223e

    Zágari, Maurício
       O enigma da Bíblia de Gutenberg / Maurício Zágari. - 1. ed. - São Paulo: Mundo Cristão, 2016.
       128 p. ; il. ; 21 cm.

       ISBN 978-85-433-0237-9

       1. Ficção infantojuvenil brasileira. 2. Literatura infantojuvenil - Ensinamentos bíblicos. I. Título.

17-41027
                                      CDD: 028.5
                                      CDU: 087.5

Categoria: Ficção

Publicado no Brasil com todos os direitos reservados por:
Editora Mundo Cristão
Rua Antônio Carlos Tacconi, 69, São Paulo, SP, Brasil – CEP 04810-020
Telefone: (11) 2127-4147
www.mundocristao.com.br

1ª edição: junho de 2017
12ª reimpressão: 2025

Para Laura

Sumário

Prólogo: Culto de quarta feira, à noite   9

1. Domingo anterior, de manhã   13
2. Domingo, início da tarde   25
3. Domingo, à tarde   35
4. Segunda-feira, de manhã   47
5. Segunda-feira, fim da tarde   55
6. Terça-feira, de manhã   65
7. Terça-feira, fim da tarde   73
8. Quarta-feira, de manhã   83
9. Quarta-feira, à noite   101
10. A hora da verdade   105
11. Noite de lua   121

Sobre o autor   125

Prólogo

CULTO DE QUARTA-FEIRA, À NOITE

Sentado no banco da igreja, Daniel perguntava a Deus por que ele atravessava um momento de aflição tão grande. Cabeça baixa, o rosto entre as mãos, tentava juntar todas as peças daquele complicado quebra-cabeça que tinha se tornado sua vida nos últimos quatro dias. A oração, feita baixinho, lábios trêmulos e voz entrecortada, era interrompida por viradas rápidas de cabeça, que o ajudavam a ver com o canto do olho se o policial que estava de pé na porta da igreja o tinha descoberto.

Seu peito era um misto de angústia, agonia e incerteza. Talvez a pregação do missionário Cláudio o ajudasse a encontrar paz ou, pelo menos, uma resposta. "Afinal, foi a vinda dele até a nossa igreja que deu início a toda essa confusão", pensou, tentando compensar a tristeza. Era duro para um jovem de apenas 18 anos saber quanto iria sofrer naquela noite.

Ao final do louvor, esforçou-se para esconder as lágrimas que escorriam de seus olhos e molhavam a gola da camisa. O missionário, com o rosto sério, certamente em consequência dos últimos acontecimentos, abriu sua Bíblia e anunciou a passagem-tema da pregação.

— Queridos irmãos, vamos ler o texto da primeira carta de Paulo aos Coríntios, capítulo treze, a partir do primeiro versículo — disse o missionário Cláudio, seguido do habitual ruído de páginas de Bíblia sendo viradas.

"A passagem que fala do amor", pensou Daniel, que encontrava sempre um consolo nas passagens das Escrituras com que tinha intimidade. Quando a igreja se colocou a postos para a leitura, o missionário olhou à frente e começou:

— Ainda que eu falasse as línguas dos homens e dos anjos e não tivesse caridade, seria como o metal que soa ou como o sino que tine. E ainda que...

A leitura prosseguiu e Daniel ficou imóvel. Aos poucos, como uma cortina que se abre e revela algo oculto, aquelas palavras foram lançando luz sobre uma série de pensamentos. Seu coração disparou. Os versículos lidos pelo missionário produziram nele um efeito instantâneo.

— Meu Deus... — sussurrou.

Na corrente sanguínea de Daniel, uma quantidade enorme de adrenalina foi despejada, fazendo a pulsação acelerar e as pupilas dilatarem. Seu pensamento voou a mil por hora, enquanto as palavras do missionário Cláudio finalmente davam forma àquele quebra-cabeça em sua mente.

— ... A caridade nunca falha: mas havendo profecias, serão aniquiladas; havendo línguas, cessarão; havendo ciência, desaparecerá...

— Jesus... é isso! — falou Daniel. Em segundos, descobriu a resposta. Ignorando o perigo, pegou o livro que tinha comprado na véspera e, espremendo-se contra o banco da frente, pediu licença para a irmã que estava ao lado. Visivelmente irritada pela interrupção durante a leitura da Palavra, ela abriu passagem e Daniel disparou pelo corredor da igreja.

— ... Porque agora vemos por espelho em enigma, mas então veremos face a face: agora conheço em parte...

— É isso! — gritou Daniel enquanto corria pelo meio da igreja em direção ao púlpito, o coração batendo forte e acelerado. Todos na congregação pararam de ler, assustados, e levantaram os olhos para aquele jovem que voava pelo corredor central. E não foram só eles. A cena incomum chamou a atenção do policial que estava de pé na porta. Num salto, ao bater os olhos em Daniel, ele gritou:

— Pare!

Ignorando o alerta, Daniel correu desabaladamente até o lado direito do púlpito, onde a porta lateral levava para o primeiro andar.

— Pare!! — repetiu o policial.

Mas, a essa altura, Daniel corria escada abaixo, pulando os degraus de dois em dois.

— Pare!!! — gritou ainda mais alto o policial, saindo no encalço de Daniel pelo mesmo corredor por onde ele tinha fugido. Se os membros da igreja já tinham se assustado com a inesperada corrida do jovem, ficaram ainda mais boquiabertos ao ver aquele homem de bigode espesso e grandes entradas nos cabelos correr pelo meio do templo — com uma arma na mão.

No púlpito, o missionário Cláudio, mudo, arregalou os olhos. O líder da igreja, pastor Wilson, olhou em volta sem entender nada e, por longos segundos, não conseguiu esboçar nenhuma reação. Diante daquela inesperada cena, a igreja toda ficou paralisada.

Daniel chegou ao primeiro andar no momento em que o policial alcançou o topo da escada. "Tenho que chegar ao gabinete do pastor!", pensou enquanto fazia a curva e disparava rumo à terceira porta do corredor.

— Pare, moleque!!! — O grito do policial arrepiou até os ossos de Daniel.

Quando chegou à porta do gabinete, podia ouvir os últimos passos do policial nas escadas. "Jesus, que a porta esteja aberta!"

Estava.

Daniel girou a maçaneta e irrompeu sala adentro. Passou rapidamente os olhos ao redor e se atirou em direção ao armário que ficava à direita da mesa do pastor Wilson. "Primeira gaveta, segunda... terceira!" Abriu a gaveta, e dedos frenéticos percorreram os papéis que estavam ali dentro. "Achei!", pensou, retirando um dos papéis. Só teve um segundo para passar os olhos pela folha que estava em suas mãos, antes de ouvir a voz ofegante do policial:

— Mãos para cima ou eu atiro! Eu atiro!

Daniel congelou, as mãos suadas, a testa fria, o coração quase saltando do peito.

— Mãos para cima! Mãos para cima!

"Jesus, agora é com o Senhor", pensou Daniel. E se virou de um pulo.

Foi só o tempo de ver o policial, assustado com seu gesto súbito, puxar o gatilho. O tiro ecoou por toda a igreja.

Capítulo 1

DOMINGO ANTERIOR, DE MANHÃ

Não roube.
ÊXODO 20.15

A igreja estava em polvorosa. Afinal, aquele era um culto especial, em meio a uma maré de boas notícias. Duas semanas antes, o pastor Wilson tinha anunciado, em um evento realizado ao ar livre, na praça principal do bairro, que a campanha de arrecadação de fundos tinha sido um sucesso.

— Meus irmãos, Deus nos abençoou. Aqui, diante de todos vocês, quero dizer que conseguimos juntar o dinheiro para a ampliação do templo!

Não tinha sido fácil. Foram meses de campanha, com vendas de cachorro-quente, sorteio de livros, pedidos de doações, enfim, uma série de esforços diferentes. Todos os membros tinham se empenhado para fazer o que podiam a fim de arrecadar fundos para a obra.

E era uma obra necessária. O santuário já não abrigava o número de membros, que às vezes precisavam ficar em pé no fundo do templo para acompanhar o culto. O santuário ficava no segundo andar. Para chegar até ele, subia-se uma escadaria que vinha da rua até a parede oposta ao púlpito. No primeiro andar, havia um salão, onde eram ministradas algumas das aulas da escola dominical. À esquerda de quem entra, os banheiros, ligados ao santuário por uma apertada escada lateral. No fundo do terreno, ainda no primeiro andar, um corredor com cinco portas. Na extremidade à esquerda, perto dos banheiros, uma porta dava acesso ao salão. Na extremidade à direita, uma porta dava para uma terceira escada, que subia até o lado direito do púlpito, visto de frente. Por essa escada subiam até o recinto do templo o pessoal do louvor e os pães da Ceia, e por ela desciam os envelopes com as ofertas. Era por ali também que o pastor Wilson subia e descia para seu gabinete.

Entre a porta do salão e a da escadinha, havia três outras. À esquerda, a do gabinete do pastor. No meio, a da copa. E à direita, a do depósito. E era tudo. Por isso, a ampliação do prédio tornou-se uma necessidade. A igreja precisava de salas de aula, um gabinete maior, um santuário mais amplo. E isso custava dinheiro, muito dinheiro.

Assim, quando o pastor Wilson revelou em praça aberta que a congregação tinha finalmente juntado o suficiente para fazer a obra, os irmãos glorificaram a Deus, felizes.

E, agora, duas semanas depois, o povo ainda se alegrava. Aliás, essa não era a única boa notícia. Ao longo da semana, pastor Wilson surgiu com mais uma novidade. A igreja teria o privilégio de receber naquele domingo de manhã, em pleno culto de Ceia, uma visita ilustre. Ilustre e rara: um missionário brasileiro que pastoreava uma igreja no estado americano do Texas visitaria a congregação e traria na bagagem um dos únicos 48 exemplares existentes no mundo da Bíblia de Gutenberg.

— Mas o que é mesmo a Bíblia de Gutenberg? — foi a primeira pergunta que Marcos fez ao encontrar Daniel, ainda na porta da igreja. Marcos e Daniel se conheciam desde pequenos. Praticamente cresceram juntos, frequentando a mesma classe da escola dominical, as mesmas atividades e os mesmos grupos. Eram velhos companheiros do grupo de teatro, do coral de adolescentes, da equipe de evangelismo. Aquele tipo de amizade que torna o colega quase um membro da família.

— A paz do Senhor para você também — brincou Daniel.

— Paz. Mas explica aí, ô Crânio, o que é que essa tal Bíblia de Gutenberg tem de tão especial.

"Crânio" era o apelido que Daniel tinha entre os jovens da igreja. Em parte porque tinha um amor enorme pelos livros e, logo, uma bagagem de conhecimentos gerais bem acima da média de sua idade, e em parte porque tinha uma capacidade sem igual de decorar passagens da Bíblia.

É bem verdade que Crânio era seu apelido só entre os rapazes. Entre as moças, o nome que mais se ouvia quando se referiam a ele era "Bênção". Afinal, embora tivesse uma aparência que em nada o destacava dos demais jovens, Daniel esbanjava simpatia e gentileza únicas. Abrir portas, ceder a passagem e oferecer lugares nos bancos da igreja era com ele mesmo. E era um jovem visivelmente dedicado à oração e temente a Deus. Não eram poucas as meninas que pediam ao Senhor que ele fosse "a sua bênção". Daí o apelido.

Fosse Crânio ou Bênção, Daniel não ligava. O importante para ele era estar bem com os irmãos e as irmãs e ser amável com todos, dentro do possível. Até mesmo com quem nem o cumprimentava ao chegar.

— A Bíblia de Gutenberg é especial porque é uma raridade. Foi o primeiro livro impresso do mundo — explicou Daniel para o amigo.

— Mas é uma Bíblia como outra qualquer? — perguntou Marcos, conhecido por ser preguiçoso na hora de ler. Ele preferia ouvir sobre as Escrituras a pegar o texto e ler por conta própria. Com uma paciência de Jó, Daniel explicou:

— Marcos, Johannes Gutenberg foi um gráfico alemão que viveu séculos atrás. Ele aprendeu a arte da impressão com caracteres móveis e passou a ter o sonho de imprimir uma Bíblia. Desse sonho nasceu o primeiro livro impresso da história.

— Ah, quer dizer que antes dele os livros eram todos escritos à mão?

— Isso aí.

Nisso juntou-se à dupla Ricardo, um novo convertido que tinha recebido Jesus como seu Salvador havia pouco mais de dois meses. Ricardo era visto com certa desconfiança por alguns irmãos. Ele havia ficado preso numa casa de detenção para menores por prática de furtos e envolvimento com o tráfico de drogas. Quando completou 18 anos, foi liberado da instituição e, em vez de ir para casa, onde morava com a mãe e os irmãos, foi direto para a igreja. Bateu à porta do gabinete do pastor Wilson e foi ao assunto sem rodeios.

— O senhor que é o pastor aqui? O que eu faço para virar crente?

Assim foi a conversão de Ricardo, que naquele dia decidiu que ninguém mais poderia chamá-lo do nome de guerra da época da bandidagem: Buiú.

E embora muitos não confessassem abertamente, olhavam meio torto para aquele jovem negro, morador de um casebre na favela que, dois meses antes, estava numa casa de detenção.

— A paz do Senhor, jovens.

— Paz, Ricardo.

— Paz.

— Vocês estão conversando sobre o quê?

— Sobre nossa visitante ilustre de hoje.

— Ah, sim, a Bíblia rara. Como é que ela veio parar na nossa igreja, hein, Crânio?

— Pelo que o pastor Wilson me disse, esse missionário, Cláudio, entrou em contato dos Estados Unidos dizendo que tinha autorização da Universidade do Texas para levá-la a diversas igrejas do Brasil, e a nossa foi uma das escolhidas. É uma espécie de viagem de incentivo à cultura ou algo do gênero.

— Universidade do Texas? — Marcos fez cara de ignorância.

— Sim, a universidade tem um dos cinco únicos exemplares que estão nos Estados Unidos. Existem hoje 48 espalhados pelo mundo, dos 180 que foram impressos.

— Mas vem cá, ô Crânio, como é que você sabe tanta coisa sobre essa Bíblia, hein?!

— Você esqueceu que sou o editor-chefe de *O Arauto*? — disse Daniel. Riu num tom brincalhão e continuou, exagerando no tom professoral: — Pesquisei um pouco sobre o assunto para escrever uma matéria para a edição deste mês. Não lembro em que ano foi impressa, mas sei que ela foi chamada de Bíblia Mazarin, ou Bíblia de 42 linhas, toda em letras góticas e com ilustrações de fino acabamento artístico.

O *Arauto* era o jornalzinho que Daniel editava havia dois anos para a igreja, com a autorização do pastor Wilson. Ele próprio entrevistava, pesquisava, fotografava, diagramava e até imprimia. Uma vez por semana, às segundas-feiras, o pastor deixava Daniel usar, durante a manhã, o computador do gabinete pastoral para fazer o que fosse preciso para o jornal.

Ele era editado com capricho. Na primeira página da última edição, a manchete "Glória a Deus! As obras vão começar!" fazia referência ao anúncio do pastor sobre o resultado da campanha de arrecadação. Sob a manchete, uma foto que Daniel tirou do alto do púlpito, retratando o pastor de costas e a multidão lá embaixo — uma foto simples mas expressiva. Dava para ver a alegria estampada no rosto das centenas de pessoas. O *Arauto* era o orgulho do seu editor. Foi graças a seu trabalho com ele que Daniel pegou gosto pela coisa e decidiu seguir a carreira de jornalista. Passou o ano anterior orando e estudando, orando e estudando, orando e estudando. Finalmente, chegou o vestibular e, com ele, a bênção de Deus: Daniel foi aprovado. Agora esperava apenas as férias acabarem, pois em um mês começariam as aulas na faculdade de jornalismo.

— Pessoal, o culto está começando, vocês não vão entrar? — perguntou o diácono Sérgio, uma espécie de recepcionista da igreja.

Daniel e Marcos sorriram e se viraram para subir as escadas da igreja. Mas, antes que chegassem a entrar, ouviram a pergunta de Ricardo.

— E essa tal Bíblia é valiosa?

Os dois se entreolharam. Foi Daniel quem respondeu.

— Muito. Custa uma fortuna. É uma peça rara, de grande valor histórico. E, lógico, grande valor financeiro também. Na verdade, é considerado o livro mais caro do mundo. Por quê? Está pensando em comprar? — brincou.

Diante do silêncio de Ricardo, os dois amigos entraram pela porta. Na rua, Ricardo ficou parado uns minutos, pensativo. Sua testa franziu enquanto refletia sobre o que tinha acabado de ouvir. Depois entrou atrás da dupla, já ao som dos primeiros acordes do grupo de louvor.

◆ ◆ ◆

Daniel não gostava de entrar no santuário com o culto já começado. Ele entendia que atrapalhava os irmãos e a ordem na reunião. Mas o papo sobre a Bíblia de Gutenberg o deixou entretido e ele acabou perdendo boa parte do início. Além disso, percebeu que precisava passar no banheiro antes de subir e, quando entrou no santuário, já tinham transcorrido uns vinte minutos de culto. Então, procurou um lugar vago e sentou-se.

O grupo de louvor estava especialmente animado naquele dia, cantando e tocando com uma dedicação muito especial. No púlpito, o pastor Wilson, do alto de seus cinquenta e poucos anos, cabelos grisalhos e rosto bem barbeado, cantava alegremente. Ao seu lado, um homem na casa dos quarenta, terno impecável e uma grande Bíblia de capa preta na mão, permanecia de olhos fechados, sem cantar as letras.

"Esse deve ser o missionário do Texas", pensou Daniel. "Dá para ver que ele não conhece esses cânticos novos." Seu faro jornalístico estava correto. Assim que o louvor terminou, pastor Wilson pediu que todos sentassem — os que podiam, pois, àquela altura, muita gente já se aglomerava de pé no fundo da igreja, esperando ansiosa para ver a raridade que veio de tão longe — e ligou o microfone.

— Irmãos, hoje é um dia de júbilo para nossa igreja. Como anunciei ao longo da semana, temos o prazer de receber nesta manhã, no culto de Ceia, o missionário Cláudio. Ele vive no Texas, nos Estados Unidos, e está em turnê pelo nosso país com uma missão especial: apresentar para os irmãos brasileiros um dos únicos exemplares que ainda existem da primeira Bíblia impressa no mundo. Na verdade, o primeiro livro impresso no mundo.

Marcos, que estava sentado do outro lado do templo, virou-se para Daniel e, de longe, fez um sinal com o polegar, como que querendo dizer: "É isso aí, você estava sabendo, hein?!". Pastor Wilson continuou.

— A Bíblia de Gutenberg não deve ser objeto de idolatria, mas de admiração. O missionário Cláudio chegou hoje bem cedo à cidade e, por medida de segurança, trouxe o livro em um cofre portátil, que está trancado em meu gabinete. Eu tive o privilégio de dar uma espiadinha na capa dela lá embaixo e, ao final do culto de hoje, vamos trazê-la aqui para cima a fim de que todos possam ver com mais atenção.

Nesse momento, ouviu-se um burburinho pela igreja. Todos estavam empolgados com a ideia.

— O missionário Cláudio ficará conosco até quinta-feira, quando segue para outra cidade, aonde levará a Bíblia para que possa ser vista de perto pelos irmãos de outras igrejas. Hoje, amanhã, terça e quarta-feira a Bíblia estará em exposição durante a tarde no salão do primeiro andar. No culto de quarta, o irmão Cláudio se comprometeu a trazer a mensagem da noite para nós. Certo, irmão?

O missionário sorriu e fez que "sim" com a cabeça.

— Mas é claro que eu queria aproveitar esta ocasião para que ele trouxesse uma saudação à igreja — disse, e passou o microfone para o missionário. O visitante agradeceu com um aceno de cabeça e ficou de pé.

— Amigos, estou feliz de estar aqui — começou Cláudio. — Há quinze anos vivo nos Estados Unidos e é sempre bom voltar à terra natal. Sou pastor de uma igreja que tem fortes ligações com a Universidade do Texas e, graças a esses laços, a direção dessa distinta instituição de ensino me permitiu trazer essa relíquia para apresentá-la aos irmãos de diversas igrejas brasileiras.

O missionário Cláudio era um homem sério, mas, de certo modo, carismático. "Apesar de viver há muitos anos no exterior, quase não se nota nenhum sotaque", pensou Daniel. De pele bem branca, cabelos crespos e negros, impressionava pela magreza mas também pela elegância no vestir. O único contraste com sua boa aparência era a enorme Bíblia de capa preta, visivelmente amarelada e envelhecida, que não saía um instante sequer debaixo de seu braço. "Mas pastor que se preza tem mesmo é que ter uma Bíblia bem gasta", riu-se Daniel.

— Já percorri igrejas de outros estados, e ainda vou percorrer muitas outras. Orem para que tudo dê certo, pois esta Bíblia é uma relíquia do século catorze, e carregá-la por aí exige muita responsabilidade.

Daniel sacou a caneta que sempre carregava e anotou num papel avulso a informação que faltava para escrever sua matéria para O *Arauto*: a época da impressão da Bíblia de Gutenberg. *Século catorze*, escreveu.

— Peço as orações de todos vocês para que muitos irmãos possam ser edificados com essa minha viagem. Bem, já falei demais, devolvo agora a palavra ao pastor Wilson — concluiu o missionário, que devolveu o microfone e se sentou.

O pastor começou a dar outros avisos de programações da igreja. Naquele momento, Daniel notou que Ricardo tinha se levantado de onde estava sentado e dirigiu-se à portinha da esquerda, que dava acesso aos banheiros. "Esse menino sempre arranja um jeito de ir ao banheiro no meio do culto", pensou Daniel, incomodado. O editor de O *Arauto* aproveitou e deu uma espiada em volta. Lá estavam muitos rostos conhecidos. Irmã Zenaide, a líder do grupo de oração. Também Cecília, Marília e Emília, as três irmãs, filhas do presbítero Antônio, que lideravam o fã-clube do Bênção. Ele gostava muito das três, mas só como amigas. "Ainda não é a hora de pensar em namorar", justificava-se Daniel para os amigos que insistiam que já tinha passado do tempo de ele arranjar uma namorada.

Mas quem? Tinha a Sara, a dos cabelos ruivos. A Soraia, que tinha um forte sotaque do interior. A Lucineide, uma menina de oração mas que também não era de muita conversa. Enfim, as possíveis candidatas eram muitas, mas na hora da decisão Daniel era sempre firme:

— Ainda não é hora de namorar.

E assim seguia, sempre priorizando outras coisas. Não que ele não quisesse namorar, ele tinha até uma quedinha pela Alessandra, aquela gordinha simpática e sempre sorridente que era neta de um pastor de outra igreja. Mas é que, dizia ele, se fosse para namorar... era para levar a sério.

— Namorar por namorar é perda de tempo.

E assunto encerrado. Bem, encerrado para ele, pois aquele seu jeito decidido de levar namoro a sério só fazia com que as meninas da igreja ficassem ainda mais encantadas.

Pastor Wilson começou a pregar. O tema do dia era "O poder do perdão". Foi uma mensagem linda, enriquecida com muitos versículos, ilustrações e até citações de filósofos. "O pastor prega muito bem", admirava-se Daniel, feliz por ter como líder espiritual uma pessoa tão habilidosa como pregador. Mais do que isso, ele o tinha como figura paterna: Daniel havia perdido o pai e enxergava naquele homem amoroso e sábio um substituto à altura.

Quase no fim da pregação, Daniel reparou que Ricardo tinha voltado ao santuário pela mesma porta por onde havia descido. "Que pena, seria tão bom se ele tivesse ouvido essa mensagem", lamentou.

Depois, foi servida a Ceia. Enquanto o coral das senhoras cantava, o pão e o vinho foram distribuídos. A cerimônia foi rápida e, ao final, chegou o momento esperado.

— Meus irmãos, enquanto oramos vou pedir ao diácono Wesley que vá até meu gabinete e traga o cofre onde está a Bíblia de Gutenberg — disse o pastor Wilson, estendendo a chave de sua sala para Wesley, um parrudo militar do exército que havia dois anos era diácono. Ele pegou a chave e desceu pela portinha da direita.

A igreja ficou em silêncio, em profunda oração. Poucos minutos depois, Wesley voltou com o "cofre", na verdade uma valise metalizada com um cadeado e uma combinação numérica, que foi entregue ao missionário Cláudio. Ele sacou do bolso interno de seu paletó a chave da valise e olhou para o pastor Wilson, à espera de uma autorização, que veio na forma de um aceno de cabeça.

— Pode mostrar, irmão — disse o pastor.

A congregação prendeu a respiração, os olhos fixos de expectativa. Todos acompanharam quando o missionário Cláudio enfiou a chave na fechadura, acertou os números do segredo e girou a chave. A valise abriu e todos espicharam o olho. Foi o pastor quem quebrou o silêncio.

— Meus irmãos, aqui está a Bíblia de...

Os instantes seguintes foram de choque. A igreja inteira viu quando a valise foi aberta. E dentro dela... não havia nada.

Aqueles segundos pareceram horas. As pessoas só caíram na realidade quando o missionário Cláudio exclamou, trêmulo e com os olhos arregalados:

— Fui roubado!

Capítulo 2

DOMINGO, INÍCIO DA TARDE

*Se não despertar, virei subitamente até você,
como um ladrão.*
APOCALIPSE 3.3

Os policiais estavam por toda parte. Uns examinavam a valise, à procura de digitais ou sinais de arrombamento. Outros analisavam o gabinete do pastor, a maçaneta, a janela, tudo. Qualquer pista que revelasse de que forma o ladrão tinha levado a valiosíssima Bíblia de Gutenberg era importante naquele momento.

Do lado de fora do gabinete, o responsável pela investigação, o inspetor Benevides, tomava o depoimento do pastor Wilson e do missionário Cláudio, ambos visivelmente abatidos. Um porque a relíquia tinha sumido de dentro de seu gabinete, quando estava sob sua responsabilidade. O outro porque teria de prestar contas à Universidade do Texas, detentora da Bíblia e que lhe tinha confiado o livro. De pé no corredor, tentavam relembrar os últimos instantes que tinham passado junto ao precioso objeto, enquanto o inspetor fazia anotações em um caderninho.

— Bem, recapitulando, o senhor veio da última cidade em que esteve e chegou à rodoviária. A que hora chegou?

— Sete da manhã. Viajei durante a noite — explicou o missionário Cláudio.

— E a Bíblia de Nuremberg estava com o senhor?

— É Gutenberg, inspetor. Sim, eu sempre a carrego dentro desta valise. Para abri-la é preciso ter a chave e a combinação secreta dos números, que só eu conheço.

— Como o senhor veio da rodoviária?

Foi o pastor Wilson quem respondeu.

— O diácono Wesley foi buscá-lo, a meu pedido.

— No trajeto o senhor se afastou em algum momento da valise? — indagou o policial.

— Com toda certeza, não. Fiquei com ela o tempo todo.

— A que horas o senhor chegou aqui?

— Cheguei por volta de oito horas. Como o culto começava às nove, o irmão Wesley me deixou no gabinete do pastor esperando por ele, enquanto eu tomava um café da manhã que ele gentilmente me ofereceu. Pastor Wilson chegou por volta de... vinte para as nove, não é isso?

— Isso mesmo. Queria ter vindo antes, mas me atrasei e cheguei em cima da hora para o culto.

— E o que vocês fizeram nesses vinte minutos?

Pensaram uns instantes. O pastor Wilson respondeu:

— Conversamos um pouco, falamos de amenidades, sobre a viagem dele, se tinha sido cansativa, essas coisas. Depois ele me ofereceu para dar uma espiada na Bíblia, o que aceitei na hora, pois confesso que estava bem curioso.

— E o senhor Cláudio abriu a valise na sua frente?

— Sim, ele abriu rapidamente, pois estava na hora de subirmos para o culto. Só deu tempo de olhar a capa.

— Havia mais alguém na sala?

— Sim, o diácono Wesley entrou naquele exato momento para avisar sobre a hora. Mas saiu em seguida.

— E o que aconteceu?

— O missionário Cláudio fechou a valise e sugeriu que a deixássemos no meu gabinete até o final do culto.

— Por quê?

Foi o próprio missionário quem respondeu.

— Por experiência sei que, se levássemos a Bíblia para o santuário logo de início, isso desviaria a atenção dos irmãos e poderia atrapalhar o culto. Por isso sugeri que a deixássemos no gabinete, com a porta devidamente trancada.

— E vocês têm certeza de que ela ficou trancada?

— Sim — respondeu o pastor —, pois sempre faço questão de deixar a porta do gabinete aberta, para que qualquer pessoa possa ter acesso a mim a qualquer hora. Por isso, trancá-la é algo fora do comum, que chama minha atenção.

— Então, a Bíblia foi furtada entre o momento que o senhor a viu no gabinete e o instante em que a valise foi aberta dentro da igreja?

Os dois obreiros se olharam, afirmativamente.

— Suponho que sim.

Na extremidade do corredor próximo à escada que dava acesso ao santuário, Daniel escutava atentamente tudo o que era dito. Seu instinto jornalístico o levou a passar de fininho pelo isolamento imposto pelos policiais no local, para tentar ajudar a descobrir como o ladrão tinha agido. Tudo parecia um grande mistério.

O inspetor Benevides chamou um dos policiais que investigavam o local, um homem de seus quarenta e poucos anos que ostentava um grande bigode negro e uma calvície acentuada.

— Pedrão, o que é que nós temos aqui?

O policial bigodudo respondeu, numa voz seca e monótona:

— A porta estava trancada. Nenhum sinal de arrombamento. A janela do gabinete que dá para os fundos da igreja também estava fechada por dentro, e não há nenhum indício de que tenha sido forçada. Quem entrou aqui fez um bom trabalho. Ou é excelente com fechaduras ou tem a chave.

A simples ideia de que alguém de dentro da igreja pudesse ser o responsável pelo furto fez o pastor Wilson engolir em seco.

— E a valise? — perguntou o inspetor.

— Mesma coisa, sem sinal de arrombamento. Ainda estamos verificando as digitais, mas dá para perceber que o meliante que executou o serviço tinha experiência. Duvido que vamos encontrar digitais — disse o policial Pedrão.

Nisso, o inspetor notou a presença daquele jovem que escutava tudo no fim do corredor.

— Ei, quem deixou esse garoto entrar aqui?

Todos os olhos se voltaram para Daniel. Foi o pastor quem quebrou o mal-estar do momento.

— Esse é o Daniel, ele é membro antigo da igreja e responsável pelo nosso jornalzinho. Daniel, não acho que seja uma boa hora para você estar aqui.

Tomando coragem, ele respondeu:

— Pastor, eu gostaria de ajudar. Será que poderia dar uma olhada por aí?

Pastor Wilson virou-se para o inspetor Benevides.

— Ele é um garoto muito esperto, talvez possa ajudar. O senhor se importa?

Benevides e Pedrão olharam Daniel de alto a baixo e deram um sorrisinho que parecia dizer: "O que esse rapazinho pode descobrir que nós, policiais experientes, não podemos?".

— Pedrão, sua equipe já terminou com o gabinete?

— Sim, estamos examinando agora a sala ao lado, onde fica a copa, e a última sala do corredor, o depósito da igreja.

Benevides fez um gesto com a cabeça.

— Pode entrar, rapazinho.

— Muito obrigado, inspetor.

Daniel pediu licença e entrou no gabinete. Ele conhecia muito bem aquela saleta, havia anos que frequentava o local, especialmente nos dois últimos, por causa do trabalho que fazia com *O Arauto*. Se houvesse algo estranho, ele encontraria.

Olhou à esquerda. Ali ficava o computador da igreja, com a impressora, onde editava o jornal. Ao fundo, à esquerda também, estava uma estante com as Bíblias do pastor Wilson, livros de estudo, revistas da escola dominical. Passou os olhos de cima a baixo. Aparentemente, tudo estava no lugar.

Ao centro, ficava a mesa do pastor, com duas cadeiras para os visitantes. Acima dela, uma janela que dava para uma pequena área nos fundos da igreja, na verdade um espaço minúsculo entre a parede e o muro do vizinho. E à direita, junto à parede, um armário de madeira ocupava todo o espaço. Ele servia para guardar muitas coisas, das fichas dos membros ao controle de dízimos e ofertas, passando pelos exemplares de arquivo de *O Arauto* e antigos boletins. Tudo guardado em muitas gavetas diferentes.

Daniel decidiu olhar mais de perto os objetos. Examinou a fechadura da porta e o trinco da janela. Analisou as cadeiras, o armário e até a lata de lixo. Caminhou até o computador. Foi quando uma coisa chamou sua atenção: um pouco de sujeira ao lado do teclado, junto ao *mouse*. Ele raspou o dedo em cima e espiou de perto. Cheirou e enfiou o dedo na boca.

Depois de ficar pensativo por alguns instantes, Daniel seguiu para a mesa do pastor Wilson, cheia de papéis, livros e documentos, como sempre. Na verdade, organização era uma das palavras que estavam pela metade no dicionário do pastor. Ainda bem que ele tinha a esposa, irmã Ester. Era uma parceira de mão cheia: auxiliava o marido nas atividades da igreja, estava sempre presente nas reuniões do grupo das senhoras, elaborava campanhas de caridade e educativas. Era uma bênção, e o pastor Wilson se orgulhava muito dela.

Aposentada por invalidez muito cedo, já que tinha um problema crônico no coração, aquela ex-professora aproveitava seu tempo livre para se dedicar à casa de Deus. E, nas horas vagas, dava uma passadinha no gabinete para arrumar a bagunça que o marido fazia sobre a mesa. "Ester, você bagunçou tudo!", costumava resmungar ele, quando via que ela tinha arrumado seus papéis e livros. Mas Ester sabia que ele falava aquilo por falar, já que, no fundo, gostava do carinho que aquele gesto demonstrava. Era um casal que se amava de verdade, e Daniel admirava aquilo.

Uma coisa chamou a atenção dele. Sobre a mesa, havia um papel em branco, dobrado, enfiado no porta-lápis. E, por mais desorganizada que fosse aquela mesa, pastor Wilson não tinha por hábito colocar papéis no porta-lápis, um detalhe que os policiais jamais perceberiam. Ele estendeu a mão e puxou a folha. Quando viu o que estava escrito, sentiu um calafrio.

— Pastor! Inspetor! Venham ver isso!

Àquela altura, o inspetor Benevides já estava no fim do corredor, junto com o pastor, o missionário e outros policiais, procurando pistas no depósito de materiais. Ao ouvir os gritos de Daniel, vieram apressados.

— Vejam o que deixaram em cima da mesa! — estendeu o bilhete.

O inspetor pegou e leu. O texto, escrito em letras de computador, dizia:

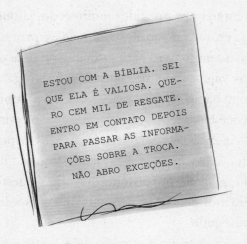

E, embaixo de tudo, vinha escrito o versículo:

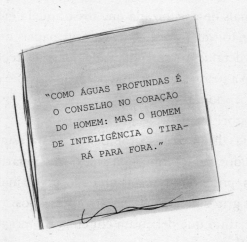

O grupo leu, atônito, a nota. O primeiro a dizer alguma coisa foi o pastor Wilson.

— Que absurdo, um bilhete sujo desses com um versículo bíblico. Que desrespeito à Palavra de Deus! — reclamou, indignado.

— Acho que já li isso em algum lugar... se não me engano, é o versículo cinco do capítulo vinte de Provérbios — disse Daniel consigo.

O próximo a reagir foi o policial.

— Pedrão! Dá uma olhada neste bilhete. Vê se dá pra gente descobrir alguma coisa daí.

Depois foi a vez do missionário Cláudio.

— Cem mil! Esse ladrão pode ser astuto, não deixar pistas, mas não tem noção do valor dessa Bíblia. Ela vale muito, mas muito mais do que isso.

— E agora, inspetor, o que fazemos? — perguntou o pastor.

— Bem, o próximo passo...

Daniel não ouviu o resto. Seu cérebro estava a toda velocidade, e ele já começava a ter ideias. E, quando seu pensamento entrava em ebulição, o corpo não conseguia ficar parado. Era preciso agir! Saiu do gabinete para o corredor, passou pelo salão e chegou à rua. Lá estava o diácono Sérgio, sentado no meio-fio, com ar desanimado. Por ali permaneciam ainda pequenos grupos de irmãos, que comentavam sobre o ocorrido. Ao que parece, o bom ânimo das últimas semanas tinha se esvaído.

O futuro jornalista olhou para aqueles rostos e tomou a decisão: não dava para ficar parado, murmurando e esperando algo acontecer. "É preciso fazer como os sacerdotes que entraram na terra prometida. Para o rio Jordão se abrir, eles tiveram de botar o pé na água. Ou seja: deram o primeiro passo", pensou. Ele tinha fé que recuperariam a Bíblia. "Mas a fé sem obras é morta!", lembrou. Naquele momento, Daniel decidiu que investigaria o sumiço da Bíblia por conta própria. Afinal, ele já se sentia um jornalista investigativo. E, além disso... ele já tinha dois suspeitos!

Capítulo 3

DOMINGO, À TARDE

*Eu poderia pedir à escuridão que me escondesse, e
à luz ao meu redor que se tornasse noite, mas nem
mesmo na escuridão posso me esconder de ti.*
SALMOS 139.11-12

Daniel sentou-se no meio-fio, ao lado do diácono Sérgio,
e afundou o rosto entre as mãos. Não porque estava
abatido, mas porque, como sempre fazia antes de iniciar
qualquer projeto ou tomar qualquer decisão, lançava
mão de sua arma secreta.

— Senhor, meu Deus e meu Pai...

O jovem fez uma oração profunda e objetiva. Pediu a
orientação de Deus e sua proteção. Recitou o Salmo 139
e rogou ao Senhor que não cometesse nenhuma injustiça em seu julgamento dos suspeitos, embora desconfiasse
bastante de duas pessoas. Por fim, pediu que conseguisse
esclarecer tudo logo, principalmente para que a igreja e o
pastor Wilson não fossem motivo de escândalo. Imagine
se essa história chega à imprensa!

— ... em nome de Jesus. Amém.

Antes de se levantar, virou-se para o diácono e perguntou:

— Sérgio, você sabe se o irmão Sebastião ainda mora naquela casinha atrás do supermercado?

Irmão Sebastião era o primeiro suspeito. Havia uns três ou quatro anos, ele era o zelador da igreja. Era um homem fechado, de poucas palavras, solteiro e sem família. Não tinha vida social conhecida, ia sempre de casa para a igreja e da igreja para casa. Era o primeiro a chegar, para abrir as portas e janelas e varrer o chão, e o último a sair, para varrer o chão e fechar as portas e janelas.

Um homem robusto, de cabeça chata e cabelos espetados, Sebastião andava de um jeito engraçado, arrastando os pés. Não era um tipo comum e certamente era percebido quando chegava aos lugares.

Costumava ficar sempre no primeiro andar da igreja, e poucas vezes era visto nos cultos. Na verdade, por causa disso, muita gente duvidava de que fosse convertido de fato. Tinha sido contratado por ter muitas habilidades úteis para a congregação. Era encanador, sabia consertar vazamentos e remendar canos. Era eletricista, sabia trocar fusíveis e remendar fios. E era padeiro.

Desde que o irmão Sebastião começou a trabalhar na igreja, pastor Wilson parou de comprar o pão da Ceia na padaria. Era o próprio Sebastião quem fazia a massa e assava o pão, no forno que ficava nos fundos da copa. Era um pão de gosto inconfundível, mais encorpado que o tradicional de confeitaria. Tinha um jeito entre o pão integral e o bolo de milho. Em nenhum outro lugar Daniel tinha provado um sabor igual.

E foi justamente aquele sabor que Daniel sentiu no momento em que provou as migalhas que encontrou ao lado do computador do gabinete do pastor. Isso mesmo, não era sujeira: era farelo de pão. Do pão inconfundível de Sebastião.

Fazia sentido suspeitar dele. Sebastião não estava no santuário na hora do culto. Como de hábito, estava no andar de baixo. Naquela manhã, tinha chegado cedo para assar o pão que seria servido na Ceia e, certamente, tinha ficado com a roupa e os cabelos cheios de farinha e farelo. Afinal, era ele quem fazia e partia em pedaços o pão. Se tivesse entrado no gabinete do pastor, seria de esperar que alguns farelos caíssem pelo caminho.

Além disso, havia um indício muito forte: como zelador, ele tinha a chave do gabinete. Apenas quatro pessoas tinham cópias: o próprio Daniel, por causa de suas tarefas com *O Arauto*, o pastor Wilson, o diácono Wesley e... Sebastião. Sebastião, um homem humilde que sabia que aquele objeto era valioso mas não sabia quanto. Cem mil para ele deveria ser uma fortuna, se tomasse por base o valor arrecadado para as obras de ampliação da igreja, exatamente aquele montante. Na cabeça dele, o suado valor da obra tinha de ser também um valor razoável para o resgate de um objeto tão valioso, imaginava Daniel.

Tudo se encaixava.

Mas era preciso ter provas.

— Sim, o Tião ainda mora lá, por quê? — respondeu o diácono Sérgio.

— Curiosidade. Você o viu por aí?

— Sim, no meio dessa confusão toda ele passou por mim e disse que ia almoçar em algum lugar, pois sabia que aquela história ainda renderia muito e era provável que ele tivesse de ficar até tarde na igreja. Deve estar voltando.

— Você viu se ele saiu carregando algum pacote ou algo parecido?

Sérgio pensou um pouco.

— Sim, ele saiu levando uma sacola. Por que tudo isso?

— Por nada, só curiosidade — despistou Daniel, já imaginando o que estaria dentro da tal sacola. — Bem, tenho de ir. A paz do Senhor, irmão Sérgio.

— Paz. Vejo você no culto da noite.

Daniel já tinha o plano arquitetado. Sebastião havia saído para almoçar, talvez tivesse ido até sua casa. Mas logo teria de voltar para a igreja. Afinal, em algum momento os policiais iriam embora e ele precisaria fechar as portas. Daniel dispunha de algum tempo para investigar.

Parou em uma lanchonete e comeu um salgado com refrigerante. Guardou no bolso a tampinha da garrafa para seu irmão mais novo, Bruno, que colecionava, sabe-se lá por que, tampinhas como aquela. Daniel seguiu pela rua até um orelhão e telefonou para sua mãe. Já eram três da tarde, e ele ainda não tinha dado notícias para a mãe, que não pudera ir à igreja porque tinha sentido um mal-estar pela manhã. Embora não fosse mais uma criança, gostava de deixar dona Alzira informada sobre onde estava, pois sabia que ela se preocupava. "Não custa nada", era sua filosofia. E, como seu celular havia quebrado pouco tempo antes, dependia dos telefones públicos para telefonar.

Depois que o pai de Daniel morreu, dona Alzira se tornou uma pessoa mais preocupada. Essa funcionária da Prefeitura teve de sustentar e educar sozinha os dois filhos, na época um com 13 e o mais novo com 3 anos de idade. Não tinha sido fácil, mas aquela mãe tinha acertado num ponto: nunca deixou nada interferir no amor que sentia — e fazia questão de demonstrar — por seus filhos.

Seu lema era o diálogo. Procurava ser mãe como ensina a Bíblia: severa quando o filho merece, amorosa quando o filho merece ou não. O resultado eram dois garotos ativos, educados, livres de vícios e maus hábitos. "Duas pérolas", costumava dizer ela.

E Daniel sabia reconhecer o valor da mãe. Ao contrário de muitos jovens de sua idade, que desrespeitam ou apenas ignoram o que seus pais dizem, ele entendia que muito do que havia de bom nele, se não a maioria de suas qualidades, tinha sido forjado por aquela mulher. E era grato por isso. Por isso, fazia questão de sempre dar alegrias para dona Alzira, até mesmo nas pequenas coisas — como um telefonema tranquilizador.

— Mãe, vou ficar um tempo pela rua resolvendo uns problemas, mas devo voltar depois do culto. Amo você e espero que tenha melhorado. Um beijo.

Daniel desligou e seguiu para o bairro vizinho, onde morava Sebastião. Quase meia hora de caminhada, que ele percorreu com disposição. Chegou ao supermercado e contornou a esquina. Mais outra esquina e lá estava ela, uma casinha amarela, o teto feito de telhas antigas. Um muro baixo a separava da rua, não seria difícil pular.

O jovem olhou com atenção. Não havia movimentação, as janelas estavam fechadas. A casa parecia vazia. Olhou em volta e tomou a decisão.

Bem, não foi tão rápido assim, na verdade. Ficou uns quinze minutos pensando nos prós e nos contras. Era perigoso. E, afinal, ele estava cometendo uma infração, invadir a casa alheia. "Mas, se eu demorar, ele pode sumir com a Bíblia", pensou. A tentação de solucionar aquele caso venceu. De um salto, Daniel estava dentro do terreno. Contornou pelo lado direito. Nos fundos, um pequeno quintal se ligava à casa por uma porta. Virou a maçaneta. Trancada. E agora?

Foi quando reparou numa escada deitada num canto do terreno. Teve uma ideia. Pegou a escada e a encostou junto ao muro do vizinho. Subiu lentamente e chegou ao telhado. "Meu Deus, o que estou fazendo aqui?", pensou. Mas seguiu adiante. Tirou algumas das telhas e subiu na laje. Arrastou-se até uma claraboia que dava para o banheiro e... pronto! Com um pulo, estava dentro da casa.

Não tinha tempo a perder. O cômodo mais próximo era a sala. Na ponta dos pés, caminhou pelo recinto e começou a examinar os objetos que estavam ali. Não eram muitos. Um sofá, um ventilador, muitos jornais baratos espalhados pelo chão, um ferro de passar roupa. Nada que revelasse algo mais suspeito.

Decidiu buscar em outros cômodos. Percorreu a cozinha e o banheiro. Olhou dentro de latas, embaixo de pias e até dentro da caixa de descarga. Nem sinal da Bíblia de Gutenberg.

Pé ante pé, Daniel se esgueirou para o quarto, um típico quarto de homem solteiro. Uma TV, a cama por fazer, roupas espalhadas. No canto, uma mesinha com uma foto e um abajur encardido. Embaixo da cama, nada além de sapatos. Encostado na parede, um armário de cinco portas, do tipo que tem persianas de madeira para arejar. Daniel girou a chave e começou a examinar o conteúdo do armário. Foi nessa hora que ouviu o barulho que fez sua respiração parar: alguém estava abrindo a porta da sala.

Não deu tempo de pensar. Daniel voou para o banheiro, para tentar subir pela claraboia por onde tinha entrado. Mas então percebeu algo que o deixou aterrorizado: não tinha altura suficiente para subir sozinho.

Slam! A porta da sala se fechou. Era Sebastião.

◆ ◆ ◆

O zelador entrou e jogou no chão a sacola que tinha trazido da igreja. Foi até a cozinha e deixou em cima da pia as bolsas de supermercado com as compras que tinha acabado de fazer. Depois, foi até o banheiro.

De dentro do boxe, Daniel ouviu, imóvel, o homem sentar-se no vaso, a pouco mais de um metro de distância. Entre os dois, apenas a cortina de plástico. Foram momentos lentos e angustiantes, a respiração presa, o suor escorrendo pela testa. Bastava o menor ruído e ele seria descoberto.

"Guarda-me, ó Deus, pois em ti me refugio", recitou Daniel o Salmo 16 em pensamento. "Eu sabia que não deveria ter entrado aqui sem permissão. Eu sabia!"

Aguentou heroicamente e em total silêncio e imobilidade aqueles cinco minutos eternos. Ao fim, o zelador deu descarga, lavou as mãos e seguiu para a sala. "A hora é esta!", pensou Daniel.

Fazendo o menor barulho possível, seguiu até a porta do banheiro. Da sala, ouvia ruídos de papéis sendo amassados e recortados. Num impulso, deu uma corridinha na ponta dos pés até o quarto, onde havia uma janela. Bastava destrancar e estava do lado de fora. Estendeu a mão para o trinco e...

Passos no corredor!

Em cinco segundos o dono da casa estaria no quarto. Foi o tempo de se atirar dentro da porta do armário, que tinha deixado aberta.

Por sorte, os passos se desviaram e foram para a cozinha. Portas batendo, barulho de sacos plásticos. Sebastião devia estar guardando as compras. Aquilo deu tempo a Daniel de se ajeitar melhor dentro do armário e se apertar atrás de um monte de camisas penduradas. Agora o jeito era esperar. Em pouco tempo o zelador sairia de volta para a igreja.

Daniel ficou ali dentro, parado, uns quinze minutos, até que Sebastião apareceu no quarto. Pela fresta da persiana, conseguiu ver seus pés se movendo pelo cômodo. Ele pegou alguma coisa na mesinha de cabeceira, mexeu em algumas roupas e...

Por essa Daniel não esperava. Vendo que a porta do armário estava só encostada, Sebastião virou a chave e o trancou ali dentro. Depois seguiu para a sala. O último ruído que o intrépido investigador escutou foi a porta da rua sendo trancada.

Agora ele estava só. E preso.

◆ ◆ ◆

Durante o período que ficou ali, Daniel teve tempo de sobra para pensar em muitas coisas. Orar foi o que mais fez. Fosse pedindo auxílio, fosse pedindo perdão.

"OK, Senhor, aprendi a lição. Ir contra a lei, invadir domicílios, nunca mais, mesmo que por uma boa causa. Se está errado, está errado. Sim, sim; não, não. Entendi a mensagem..."

De vez em quando, parava de orar para buscar uma posição mais confortável, esticar a perna dormente ou as costas doloridas. Também pôde repassar os fatos daquele dia conturbado, rever ideias e aguçar suspeitas. Por fim, Daniel dormiu.

◆ ◆ ◆

Quanto tempo ficou ali, não tinha certeza. Mas, quando despertou, tudo estava escuro. Foi o barulho da porta batendo que o fez acordar.

"Ai, que dor...".

Aguentar tanto tempo trancado em um armário era tarefa para Sansão.

Ele estava dividido. Não sabia se torcia para que Sebastião abrisse a porta e ele pudesse dar um jeito de sair ou para que ele não fosse até o armário, onde poderia dar de cara com o intruso. Daniel não queria nem imaginar essa possibilidade.

Mas a espera estava longe de terminar. Pelos ruídos, ele imaginava o que Sebastião estaria fazendo. Banheiro. Jantar. Banho. Televisão. Pelo programa que estava passando, dava para supor que já era mais de meia-noite. Ele estava trancado ali havia umas sete horas.

Foi então que Sebastião desligou a TV e foi até o armário. Destrancou a porta. Daniel encolheu-se mais ainda por trás das camisas. Fechou os olhos e os apertou com força. "Jesus, me ajuda!"

E ajudou mesmo. O zelador pegou alguma coisa dentro do armário e voltou para a cama... deixando a porta aberta. Pela fresta da persiana, deu para ver o que ele tinha pego: uma Bíblia. Mas era uma versão simples, provavelmente a Bíblia de uso diário de Sebastião, cheia de anotações nas margens das páginas. Visivelmente, era um livro com bastante uso.

— Felizes... os pobres de espírito... pois o reino dos céus... lhes pertence.

Sebastião lia em voz alta, num ritmo arrastado, de quem não aprendeu muito bem a ler.

— Felizes... os que choram... pois serão... consolados.

Daniel conhecia bem aquela passagem. O capítulo cinco de Mateus, o Sermão do Monte. Por pior que fosse a situação, aquelas palavras íntimas o ajudaram a se acalmar. Dali a pouco ele já recitava os versículos em pensamento, junto com o zelador.

— Felizes os perseguidos... por causa da... justiça...

"Pois o reino dos céus lhes pertence."

— Felizes são vocês quando... por minha causa... sofrerem zombaria e perseguição...

"E quando outros, mentindo, disserem todo tipo de maldade a seu respeito...."

E assim foi pelos trinta minutos seguintes. Daniel já estava no limite da tolerância quando um ruído deu o sinal verde para sua fuga. Os roncos de Sebastião eram como um cântico celestial para os ouvidos do rapaz. Bem devagar, ele empurrou a porta do armário. Pé esquerdo... pé direito... estava fora. Na cama, Sebastião roncava com o abajur aceso e a Bíblia sobre o peito. Daniel parecia ter saído de uma caixa de sapatos, os músculos doendo, a barriga oca de tanta fome. Tentou andar rápido, mas as pernas dormentes não obedeciam, pesavam, formigavam.

Quando retomou o controle do corpo, Daniel seguiu para a porta do quarto. Foi quando a tampinha do refrigerante que tinha guardado para seu irmão escorregou de seu bolso e caiu no chão.

Nunca um som tão insignificante pareceu tão assustador. No silêncio do quarto, era como se um piano tivesse caído do décimo andar. Daniel ficou paralisado.

Tlim, tlim, tlim, tlim, tlim...

tlim... tlim...
tlim...
Tlim.

Os olhos de Daniel não desgrudavam do zelador, a respiração suspensa, os membros tensos, o coração disparado. Mas ele pôde agradecer os céus: Sebastião continuou embalado em seu sono.

Sentindo que os dedos tremiam, o jovem percorreu o corredor, atravessou a sala e abriu a porta. Ar livre! Sem olhar para trás, correu até o muro, pulou para a rua e disparou em direção à segurança de sua casa.

Na pressa, esqueceu-se de verificar o que havia dentro da sacola que Sebastião tinha trazido da igreja.

Capítulo 4

SEGUNDA-FEIRA, DE MANHÃ

*Seja forte e corajoso! Não tenha medo nem
desanime, pois o SENHOR, seu Deus,
estará com você por onde você andar.*
JOSUÉ 1.9

Naquela manhã, Daniel acordou tarde. O corpo ainda
doía, e em seu coração havia um misto de decepção e
arrependimento. Decepção por não ter feito grandes des-
cobertas, e arrependimento por ter invadido a casa de
Sebastião. Afinal, nada provava que ele era o culpado.
Mas ainda havia o segundo suspeito.

Felizmente, Daniel tinha o dia livre. Como as aulas na
faculdade de jornalismo só começavam dali a um mês,
podia aproveitar os dias de férias. Em geral, as manhãs
de segunda-feira eram reservadas para *O Arauto*. Mas
naquele dia dava para abrir uma exceção. Era quase onze
horas, e ele precisava se alimentar bem.

Dona Alzira já tinha saído para o trabalho, e seu irmão
caçula, Bruno, que também estava de férias, lia um livro
na sala. Daniel esfregou os olhos para espantar o sono e
preparou seu café. Enquanto passava requeijão no pão,

pensava no que faria com seu dia. Não foi preciso pensar muito, pois já tinha definido grande parte de seu plano na véspera, quando amargou horas trancado no armário de Sebastião.

Ao meio-dia, já estava de banho tomado, no ponto de ônibus, esperando o coletivo que o levaria até o bairro vizinho. O bairro onde Ricardo morava.

Não era difícil suspeitar de Ricardo. Com uma história de vida ligada à criminalidade, devia ser vítima fácil das recaídas. Morava numa favela, num barraco digno mas precário, junto com seis irmãos e a mãe. O pai, ninguém sabia por onde andava.

Desde sua conversão, Ricardo tinha decidido trabalhar vendendo churrasquinho na porta de casa. Arranjou um latão, cortou o fundo e, com alguns espetos, improvisou uma churrasqueira. Nos dois meses de convertido, aquele tinha sido seu ganha-pão.

E Daniel ainda se lembrava de como os olhos do garoto brilharam quando perguntou, na manhã do dia anterior, se a Bíblia de Gutenberg era valiosa. Não tinha como negar que aquela pergunta o incomodou. E, ao recapitular os eventos da véspera, Daniel percebeu que só se lembrava de duas pessoas que se ausentaram do santuário na hora do culto: Sebastião, que raramente subia, e Ricardo, que ele viu descer na hora dos avisos e só retornou quase no final da pregação. Ele teve tempo de sobra para furtar a Bíblia. Para alguém com a experiência que ele tinha com furto, não seria difícil abrir uma porta e destravar uma valise. Em seus anos na casa de detenção, teve contato com muita gente que poderia ter lhe ensinado as técnicas e os macetes para abrir fechaduras.

Isso sem contar que quase toda semana ouvia uma irmã ou um irmão questionar a conversão de Ricardo. Era difícil não se influenciar pelos comentários. Na quarta-feira anterior, um irmão da igreja, ao ver Ricardo passar, comentou com Daniel:

— Esse menino, não sei não. Me lembra a parábola do semeador, aquela semente que cai sobre a pedra e, um tempo depois, seca. Para esse menino se desviar não custa nada.

Agora, Daniel tinha de investigar Ricardo. E, para isso, decidiu adotar uma estratégia diferente da que usou com Sebastião. Não iria transgredir norma nenhuma. Não iria invadir casa nenhuma. Iria apenas segui-lo.

O ônibus chegou, e Daniel embarcou. Ele tinha ido uma vez ao barraco de Ricardo, fazer uma visita de discipulado. Tinha conversado com a mãe do garoto e até falado do evangelho com ela. Dona Lucicleide não era cristã, mas ficou feliz por o filho ter se convertido e se afastado das práticas criminosas. "Só Deus sabe quanto esse menino já me fez chorar", comentou na ocasião.

Daniel só teve problemas com dois irmãos dele, conhecidos como Maneco e Zé Buscapé, que eram envolvidos com o tráfico de drogas e ficaram meio arredios ao ver um jovem com Bíblia na mão visitando seu barraco. Não o trataram mal. Mas também não o trataram bem.

Daniel desceu do ônibus e foi se embrenhando pelas ruas da comunidade. Chegou à esquina da rua onde Ricardo morava e, de longe, o viu sentado na calçada, vendendo seu churrasquinho. Evitando ser notado, entrou num boteco que ficava a certa distância e pediu um refrigerante. A questão agora era esperar e observar.

Por sorte, não teve de esperar muito. Estava no fim do segundo refrigerante quando viu o suspeito entrar em casa e voltar com outras roupas. Um de seus irmãos menores assumiu o lugar dele e Ricardo desceu ladeira abaixo. Daniel esperou que ficasse a uma distância segura e partiu em seu encalço.

Foi bem uma meia hora de caminhada. Ricardo ia à frente, e Daniel o seguia atentamente. Saíram da comunidade e se dirigiram a um bairro próximo. Quando se deu conta, o jovem estava numa estação, esperando o próximo trem chegar. Na plataforma, escondeu-se atrás de uma pilastra. Quando o trem chegou e Ricardo embarcou, Daniel deu uma corridinha e entrou no vagão imediatamente atrás. Pela porta de vidro, ficou acompanhando os movimentos de seu suspeito.

Umas seis paradas depois, Ricardo desceu, seguido de perto por Daniel. Saíram da estação e, quando Daniel olhou em volta, identificou logo a região. Aquele era um bairro conhecido por ser um *shopping* a céu aberto, com muitas barracas de camelôs, lojinhas de produtos baratos, contrabando e coisas do gênero. Eram numerosos quarteirões com um comércio que fervilhava.

Seguir alguém no meio de todo aquele movimento era tarefa complicada. Demais, até. Em três momentos diferentes, perdeu Ricardo de vista, mas conseguiu reencontrá-lo. Por fim, chegaram a uma rua que era conhecida por ter dezenas de sebos de livros e lojas de colecionadores.

— Jesus...

Um pensamento terrível cruzou a mente de Daniel. E se Ricardo estivesse fazendo jogo duplo? E se estivesse tentando receber o resgate sem a intenção de devolver o livro? Ele poderia embolsar o resgate e tentar lucrar mais ainda vendendo a Bíblia para um daqueles colecionadores. Era um pensamento assustador. Se isso acontecesse, pobre pastor Wilson e pobre missionário Cláudio, estariam em maus lençóis.

A cada passo que dava, parecia que as vozes aumentavam de volume em sua mente. "Novo convertido... semente que caiu sobre a pedra..." Os pensamentos eram tantos que Daniel se distraiu e, quando deu por si, Ricardo tinha desaparecido.

— E essa agora!

Ele ainda deu voltas no quarteirão, foi e voltou duas vezes, mas nada: o jovem tinha sumido.

Desanimado, Daniel pensou e decidiu que era perda de tempo ficar ali. Afinal, precisava preparar a próxima edição de O *Arauto*, cuja matéria principal seria, obviamente, a história do sumiço da Bíblia de Gutenberg. E era o dia da semana combinado com pastor Wilson para ir à igreja usar o computador do gabinete. Com toda aquela avalanche de fatos, os planos tinham mudado. Já era quatro da tarde e só restava tentar ver se o pastor permitiria que ele usasse o micro àquela hora.

No trem de volta, Daniel foi imaginando como seria o texto da reportagem. De repente, percebeu que não se lembrava da época exata em que a Bíblia de Gutenberg tinha sido impressa. A informação, ele tinha anotado na véspera em um papel e deixado no bolso da outra calça. "Passo em casa antes de ir para a igreja e pego o papel", pensou.

Saltou na estação e caminhou um bom pedaço até sua casa. Ao chegar à esquina, notou que havia algo errado: parada em sua porta estava uma viatura da polícia. "O que será que aconteceu?" Girou a maçaneta e entrou. Sentados no sofá, alguns rostos bem conhecidos. Rostos, aliás, que espelhavam um misto de sentimentos, que iam da tensão à decepção.

— Olá, Daniel — disse o pastor Wilson.

De cara, percebeu que havia algo realmente errado. Poucas vezes Daniel se lembrava de ter recebido um cumprimento do pastor que não fosse o tradicional "a paz do Senhor".

Junto com ele estavam o missionário Cláudio, com a testa franzida e mãos que não paravam de se esfregar, o inspetor Benevides e o policial Pedrão, sentados em silêncio. No canto da sala, seu irmão, Bruno, tinha um olhar espantado e sua mãe, os olhos vermelhos e imóveis, fixos no chão.

— Olá... pastor. A paz do Senhor — respondeu.

— Daniel, viemos até aqui por um motivo muito sério — continuou o pastor Wilson. — Precisamos conversar.

Apreensivo com aquela cena, Daniel não sabia o que dizer. Dona Alzira, pelo jeito, tinha tomado conhecimento do furto ocorrido na véspera do pior modo possível: pela boca de outra pessoa. Daniel lembrou que não havia tido tempo de contar à mãe sobre tudo o que aconteceu. O pastor engatilhou um discurso num tom grave, que deixou Daniel ainda mais assustado. Mas havia em sua voz algo que revelava uma preocupação em manter a delicadeza.

— Daniel, eu conheço você há muitos anos, e todos nós sabemos de seu comportamento exemplar. Você sempre deu bons frutos, e suas ações sempre foram as de um cristão autêntico. E é por respeito a tudo isso que antes de qualquer coisa resolvi conversar primeiro com você, para tentar esclarecer algumas coisas. Eu...

De repente, o inspetor Benevides interrompeu o pastor e, visivelmente impaciente, metralhou:

— Chega de enrolação, pastor! Garoto, você é o nosso principal suspeito do desaparecimento da Bíblia!

Capítulo 5

SEGUNDA-FEIRA, FIM DA TARDE

Não tenha medo do que está prestes a sofrer.
O diabo lançará alguns de vocês na prisão a fim de
prová-los. [...] Mas, se você permanecer fiel mesmo
diante da morte, eu lhe darei a coroa da vida.

APOCALIPSE 2.10

As palavras do inspetor tiveram efeito imediato. O chão parecia ter saído dos pés de Daniel. Seu coração disparou, ao mesmo tempo que as lágrimas começaram a escorrer pelo rosto de dona Alzira. Bruno escutava, imóvel, com a boca aberta. Pastor Wilson olhou irritado para o policial que o tinha interrompido, enquanto o missionário Cláudio franzia ainda mais a testa. Pedrão alisava o bigode. Benevides continuou:

— Temos fortes razões para crer que você está envolvido nesse crime.

Diante do ar de espanto de Daniel, o policial esclareceu:

— Ontem, depois que você saiu da igreja, nós continuamos a investigar o furto. Foi quando começamos a perceber algumas coisas. Examinando o lixo do gabinete do senhor Wilson, descobrimos que havia ali pedaços de papel cortado, como se três retângulos tivessem sido recortados de uma única folha. Veja só.

O inspetor estendeu um saquinho plástico etiquetado em direção a Daniel. Com a mão trêmula, ele pegou e viu dentro dele o formato exato de três retângulos recortados de uma folha de papel, da qual só restavam os contornos.

— Sim, e o que isso prova?

— Por si só, nada. Mas olhe isto.

O policial Pedrão sacou de uma pasta outro saco plástico. Dentro estava o bilhete com o pedido de resgate que Daniel havia encontrado no porta-lápis. Quando se sobrepunham os dois, dava para ver que ele tinha sido recortado daquela folha de papel.

— Isso quer dizer que o ladrão cortou o bilhete desta folha e jogou as sobras no lixo?

— Garoto inteligente — Benevides deu um sorrisinho sarcástico. — Considerando que há três buracos, dá para ver que ele recortou não só um, mas três bilhetes da folha.

— Mas... não estou entendendo, o que isso prova? — perguntou Daniel.

— Bem, o próximo passo da investigação demos graças à percepção do senhor Wesley, que chegou depois que você saiu ontem. Ele reparou que isto...

Benevides apontou para uma linha de tinta preta quase apagada, que cruzava o que restou da folha de cima a baixo.

— ... está presente também nisto.

Naquele momento, o sangue de Daniel gelou. Na mão do policial Pedrão havia mais um daqueles saquinhos, com nada menos que um antigo exemplar de O *Arauto* dentro. Era verdade. Nos últimos quatro ou cinco meses, a impressora do computador do gabinete do pastor Wilson vinha deixando aquele risquinho sutil em todas as folhas que eram impressas. Era um defeito de regulagem que deveria ter sido consertado tempos antes. Mas não tinha. E, agora, servia de prova contra ele.

— Bem... certo... mas qualquer pessoa poderia ter usado o computador, só porque eu faço o jornal nele não quer dizer que eu tenha algo a ver com isso — defendeu-se Daniel, que balançava a perna sem parar, de tanto nervosismo.

— Mas não é só isso. Apenas quatro pessoas têm a chave da sala do gabinete, e você é uma delas.

De fato, para facilitar o acesso de Daniel ao computador caso precisasse fazer algo no jornal, pastor Wilson tinha dado a ele uma cópia da chave.

O inspetor Benevides continuou:

— Do momento em que a Bíblia foi vista pela última vez pelos senhores Wilson e Cláudio até a constatação do furto, cerca de uma hora e quarenta minutos se passou. Nesse intervalo, ela ficou trancafiada numa valise que, por sua vez, estava trancada no gabinete. O ladrão precisaria de tempo para abrir a sala, arrombar a valise, suprimir a Bíblia, ligar o computador, escrever os bilhetes, imprimir, recortar, desligar o computador e fechar tudo de novo. Essa operação levaria entre dez e vinte minutos, pelo menos. Das pessoas que tinham a chave, o pastor estava o tempo todo no púlpito. O senhor Wesley só se ausentou no momento de pegar a valise, e isso por, no máximo, uns dois minutos. O senhor Sebastião, zelador da igreja, está tendo seus passos investigados, mas existe um detalhe: ele é um semianalfabeto. Seria muito difícil escrever aquele bilhete com tanta perfeição gramatical. Se você reparar, até mesmo a palavra *exceções* está escrita corretamente, o que é algo difícil de acontecer até mesmo entre algumas pessoas letradas.

Ouviu-se um silêncio sepulcral na sala.

— O que nos leva até você, senhor Daniel. Pelo que averiguei, o senhor foi visto na porta da igreja no momento em que o culto começava, em companhia de um tal senhor... — olhou num caderninho — Marcos Siqueira. Ele subiu e, segundo testemunhas, o senhor seguiu sozinho para os fundos da igreja...

— Eu fui ao banheiro!

— ... e só chegou ao segundo andar por volta de nove e vinte da manhã, um atraso bem razoável para alguém que, como me disse o próprio pastor Wilson, detesta se atrasar para o início do culto.

Daniel tentou, mas não conseguiu se lembrar de ninguém que o tivesse visto no banheiro. Para alguém que estivesse na porta da igreja, ele tanto poderia ter ido ao banheiro quanto para o gabinete. A verdade é que não tinha um álibi.

— Só esses indícios já são bem fortes: vinte minutos sozinho, a chave do gabinete à disposição, intimidade com aquele computador... e, estranhamente, o senhor que, segundo sua mãe mesmo acabou de nos confirmar, raramente deixa de ir à igreja e nunca falta aos seus compromissos, não apareceu ontem à noite no culto e hoje de manhã deixou de comparecer à igreja para fazer o seu "jornalzinho" — disse, com tom de desdém. — Mudar abruptamente a rotina é uma prática bastante comum a pessoas que acabaram de cometer crimes, sabia?

Tudo aquilo era verdade, e Daniel sabia que não havia nada que pudesse dizer. A frase seguinte do inspetor caiu como uma bomba em sua cabeça.

— Se você nos contar onde esteve ontem à noite, sua situação talvez fique melhor.

Daniel percebeu que não poderia responder àquilo. Como dizer a dois policiais, a seu pastor, a seu irmão e a sua mãe que você invadiu a casa de uma pessoa e ficou trancado horas no armário dela? Ah, se arrependimento matasse...

Mesmo que tivesse coragem, não tinha nenhuma testemunha. Daniel abaixou a cabeça.

— Não posso responder isso...

Nesse momento, dona Alzira, que até então tinha permanecido calada, explodiu.

— Como não, Daniel? Você não percebe a gravidade das acusações? Essa Bíblia é um patrimônio da humanidade! Esse furto, quando chegar ao conhecimento do mundo inteiro, terá uma repercussão enorme. Você já tem dezoito anos, não é mais menor de idade. Pode acabar na prisão!

Foi aí que a ficha caiu. O pensamento de Daniel embotou. Suas pernas fraquejaram e ele desabou sentado no sofá, mudo.

O missionário Cláudio se pronunciou pela primeira vez:

— Calma...

Segurou a mão de dona Alzira e passou o braço em volta de seus ombros. Bruno correu até a cozinha e retornou com um copo de água para a mãe.

— E hoje de manhã, onde você esteve? Ficamos à sua espera na igreja para esclarecer essa situação e, pela primeira vez em dois anos, você não apareceu no horário — perguntou o pastor Wilson, que, àquela altura, estava visivelmente transtornado.

— Também não posso responder isso... — disse Daniel, a voz quase inaudível.

O silêncio que se seguiu foi terrível. O único som que se ouvia era o fungar de dona Alzira.

Num susto, o clima pesado foi quebrado pelo ruído do telefone celular do inspetor Benevides.

— Alô. Sim... Sim... Certo... Já está a caminho? Ótimo — desligou.

Benevides virou-se para os dois pastores.

— Encontraram o segundo bilhete do ladrão.

Todos olharam para Daniel.

◆ ◆ ◆

Que ironia. Agora, ele, o Crânio, o Bênção, tinha virado o suspeito número um. Dando-se o direito de permanecer calado, Daniel se fechou e começou a conversar com o único que poderia ajudá-lo naquela situação.

"Senhor, meu Deus e meu Pai..."

Nos olhos de Wilson, aquele pastor que ele tanto amava e a quem considerava um pai, Daniel enxergava profunda decepção. E aquilo doía, assim como doíam as lágrimas de dona Alzira e a cara de espanto de Bruno.

O telefonema informou que um envelope tinha sido deixado na igreja. Dentro, outro bilhete com mais informações sobre o resgate. Um policial estava chegando com ele, para entregar ao inspetor.

A campainha tocou.

"Ó Senhor, defende-me dos que me acusam; luta contra os que lutam contra mim..."

Dona Alzira foi a passos miúdos até a porta e abriu para o policial entrar.

— Com licença. Inspetor, isto é para o senhor.

Benevides pegou o saco, abriu e retirou o bilhete. Em seguida, colocou-o junto ao segundo buraco recortado da folha que estava no gabinete do pastor. O encaixe era perfeito.

Todos olharam para Daniel.

— O que diz aí? — perguntou o pastor Wilson. O texto trazia em letras impressas:

QUERO OS CEM MIL EM DINHEIRO. A ENTREGA SERÁ QUARTA-FEIRA À NOITE, APÓS O CULTO. AGUARDEM INSTRUÇÕES SOBRE O LOCAL DA TROCA.

"TIRAI-LHE POIS, O TALENTO E DAI-O AO QUE TEM OS DEZ TALENTOS. PORQUE A QUALQUER QUE TIVER SERÁ DADO, E TERÁ EM ABUNDÂNCIA; MAS AO QUE NÃO TIVER, ATÉ O QUE TEM SER-LHE-Á TIRADO."

"Mateus, capítulo vinte e cinco...", pensou Daniel.

A expressão no rosto do pastor Wilson transparecia claramente sua revolta com o fato de o ladrão escrever versículos bíblicos num bilhete daquele tipo.

O silêncio foi quebrado por Benevides.

— Garoto, foi você quem escreveu isso?

Dona Alzira voltou a chorar forte. O missionário Cláudio saiu em defesa dela.

— Inspetor, por favor...

O policial que trouxe o bilhete dirigiu-se ao chefe.

— O envelope foi deixado na caixa de correio da igreja, sem que ninguém visse quem o pôs lá.

— E a análise das digitais? — perguntou Benevides.

— No envelope, há diferentes digitais. No teclado do computador havia três que pudéssemos detectar. Na valise, havia duas. Agora precisamos colher as impressões das pessoas que frequentam o local do crime e dos suspeitos para ver se elas batem. Eu trouxe o material, como o senhor pediu.

— Cavalheiros, se não se importam... — disse Pedrão.

Ali mesmo, Daniel, o pastor Wilson e o missionário Cláudio tiveram de sujar os dedos na tinta para tirar as impressões. O policial informou ainda que o diácono Wesley e Sebastião também seriam procurados, em seguida, para tirar as digitais. Por fim, todos se levantaram e o inspetor virou-se para Daniel.

— Vamos embora, seu depoimento foi bem esclarecedor — ironizou. — Tem certeza de que prefere ficar em silêncio e não nos contar onde esteve ontem e hoje?

Diante da afirmativa hesitante de Daniel, prosseguiu:

— Continua sustentando a versão de que, nos minutos em que desapareceu no fundo da igreja na manhã de ontem, esteve o tempo todo no banheiro, onde não foi visto por ninguém?

Daniel fez que *sim* com a cabeça.

— Muito bem. É meu dever lhe informar que o senhor é o principal suspeito desta investigação. Não saia da cidade e fique onde possamos encontrá-lo. Tenha um bom dia.

Benevides e Pedrão se despediram dos presentes e saíram da casa na companhia do terceiro policial. O missionário Cláudio partiu atrás. Pastor Wilson foi até Daniel e olhou dentro de seus olhos.

— Por que você não conta onde esteve? Assim está só se complicando, os indícios contra você são muito fortes. O silêncio só piora as coisas.

Cabisbaixo, Daniel respondeu:

— Não posso, pastor. Se pudesse, diria.

Nitidamente desapontado, o pastor concluiu a conversa.

— Pois bem, em nome da nossa antiga amizade, espero que você saiba o que está fazendo. — Fez uma pausa, reflexivo. — Deus o abençoe.

E se dirigiu para a porta. Antes de sair, parou e voltou-se para Daniel:

— Para sua informação, como líder da igreja decidi que tenho de assumir a responsabilidade pelo furto da Bíblia. Já combinei com o missionário Cláudio que vou entregar o dinheiro que arrecadamos para a ampliação do templo como pagamento do resgate. Se a Bíblia de

Gutenberg não aparecer até quarta-feira à noite, adeus sonho de reformas — fez uma pausa e saiu.

Aquelas palavras entraram no coração de Daniel como um punhal. Tudo menos aquilo. O jovem ficou sozinho na sala com a mãe e o irmão.

— Meu filho, há algo que queira me dizer? — arriscou dona Alzira, com os olhos marejados.

— Sim, mãe. Ore por mim — disse, com um sorriso triste no rosto. Daniel deu um beijo em Dona Alzira e se retirou para o quarto.

Fechou a porta e deitou na cama. Seu pensamento estava a toda, como mil engrenagens funcionando ao mesmo tempo. Era hora de partir com tudo para o ataque. Ele tinha 48 horas para descobrir o ladrão, senão a igreja perderia o dinheiro, ele perderia o respeito de todos e poderia até perder a liberdade e ir para a prisão.

O jovem arquitetou meticulosamente o que faria no dia seguinte: sua investigação não podia parar. Armou o despertador, virou-se para o lado na cama e começou a orar.

— Deus, agora é tudo ou nada!

Capítulo 6

TERÇA-FEIRA, DE MANHÃ

Davi respondeu ao filisteu: "Você vem a mim com uma espada, uma lança e um dardo, mas eu vou enfrentá-lo em nome do SENHOR dos Exércitos, o Deus dos exércitos de Israel, que você desafiou".
1SAMUEL 17.45

O sol mal tinha se levantado quando Daniel despertou. Tomou um banho, se vestiu, tomou café e saiu com destino certo. Quando descia a rua, percebeu que um rosto familiar o observava de longe. Com seu inconfundível bigode negro, o policial Pedrão o vigiava de dentro de um carro. Só lhe faltava essa: agora teria um cão de guarda em seu encalço. Para o que pretendia fazer naquela manhã, a vigilância de Pedrão era uma pedra no sapato. Mas ele já tinha ideia de como se livrar da companhia indesejada.

Seguiu normalmente seu plano. Quando chegou na entrada da favela em que Ricardo morava, deu uma espiada por sobre o ombro e, como previsto, notou que Pedrão tinha empacado. "Ele não é doido de entrar na área do tráfico sozinho. Se descobrem que é policial, a coisa fica feia", pensou Daniel. Com isso, pôde ir adiante. Às nove da manhã, já estava instalado no boteco perto da casa de seu suspeito.

Durante o tempo que passou ali, deu para acompanhar a movimentação no barraco. As duas irmãs mais velhas de Ricardo saíram, seguidas da mãe. Pouco depois das dez, Ricardo apareceu. Montou seu latão na calçada, acendeu o carvão e pôs os espetinhos para assar. Ali ficou por cerca de duas horas, vendendo churrasco e conversando com quem passava.

O dono do boteco já estava desconfiado daquele rapaz que tinha passado horas sentado ali, sem fazer nada, já no quinto refrigerante. Daniel decidiu circular para não despertar mais suspeitas. Levantou-se, pagou e saiu do boteco. Deu calmamente a volta no quarteirão, para poder observar Ricardo do outro lado. Quando chegou à esquina oposta, o susto: no lugar de seu suspeito, o irmão mais novo dele, o mesmo que tinha ficado ali na véspera.

— E essa agora...

Sem saber se o jovem tinha entrado em casa ou saído dela, Daniel resolveu esperar um pouco. Passados mais de dez minutos, sua paciência se esgotou. Era só o que faltava, ficar a manhã inteira esperando e agora perder o suspeito de vista. "Ele deve ter ido embora, se eu correr talvez ainda o alcance." Daniel decidiu não esperar mais e saiu correndo ladeira abaixo.

Mal tinha dado alguns passos e adivinhem quem ele vê saindo de casa? Sim, o próprio Ricardo. Se olhasse para a direita, ele daria de cara com Daniel. Mas, para a sorte deste, Ricardo saiu para a esquerda. Daniel respirou fundo e se recompôs do susto.

Os dois fizeram praticamente o mesmo caminho da véspera. Só que, agora, a coisa seria diferente. Assim que desembarcaram na estação de trem do bairro comercial, Daniel entrou por uma viela paralela e saiu em disparada até a rua onde havia os sebos de livros. Postou-se em um lugar estratégico e esperou. Logo, Ricardo apareceu.

Desviando-se das barracas de camelô, Daniel o seguiu a certa distância. Até que, finalmente, o novo convertido entrou numa portinha que se ligava a uma escada. Daniel o viu subir até o segundo andar. Atravessou a rua e leu o letreiro que estava preso à fachada do sobrado:

RELIGIÃO HOJE
Livros religiosos e esotéricos em geral

Ele exultou com a descoberta. "Tá aí um lugar onde certamente se interessariam em comprar uma Bíblia rara." Agora era esperar. E foi o que fez durante cerca de meia hora. Aproveitou, fez um lanche e aguardou. Finalmente, viu Ricardo sair, com um sorriso de satisfação no rosto e um embrulho embaixo do braço. Era sua deixa.

Daniel atravessou a porta e subiu pela escadinha apertada. No segundo andar, o ambiente não era dos mais convidativos. As paredes tinham um aspecto sujo, cheias de infiltrações e com a tinta descascada. Um cheiro de coisa velha impregnava o ar. À esquerda, uma porta pintada de cinza ostentava uma plaquinha onde se lia o mesmo texto escrito na fachada.

De um empurrão, a porta cedeu. Dentro da sala, o ambiente lembrava uma antiga biblioteca. Junto às paredes e espalhadas pelo salão, numerosas estantes abrigavam centenas de livros que, pelo aspecto, eram todos velhos e usados. Pequenas placas no topo das estantes identificavam o gênero das obras de cada setor: *Bíblias*, *Cabala*, *Ficção*, *Budismo*, entre dezenas de outras.

Atrás de um pequeno balcão, um homem que parecia ser tão velho quanto os livros que vendia olhou para Daniel e abriu um largo sorriso. Incontáveis rugas surgiram em seu rosto, emoldurado por pequenos tufos de cabelos brancos sobre as orelhas.

— Bem-vindo, rapazinho. Está procurando algo em particular?

A pergunta pegou Daniel de surpresa. Ele teve de improvisar.

— É... sim... estou interessado em Bíblias antigas.

O sorriso do ancião alargou ainda mais.

— Então você veio ao lugar certo. Este sebo é o que mais tem antiguidades e raridades do país! — exagerou.

— Alguma específica?

Era a deixa que Daniel esperava.

— Bem, quanto mais antiga melhor. O que o senhor tem de mais velho por aqui?

O balconista saiu de trás do balcão e arrastou os pés até a seção onde se lia *Bíblias*. Com o dedo, apontou para as prateleiras de cima.

— Aqui estão as mais antigas. Dá uma olhada.

Daniel começou a folhear uma por uma. Nas primeiras páginas, era possível ver o ano de publicação. Umas em português, outras em inglês e até uma em grego. Páginas amareladas, capas remendadas. Era um desfile interminável de exemplares das Sagradas Escrituras. Então, fingindo-se de desentendido, como se estivesse apenas querendo puxar assunto, perguntou:

— Diga, tem muita gente que costuma vir aqui atrás de Bíblias raras?

— Sim, temos uma clientela muito fiel. E, de vez em quando, aparecem caras novas como você — disse, com um sorriso.

Daniel folheou ainda uns três exemplares antes de mandar outra pergunta.

— E o senhor compra de quem esses livros?

— Ah, meu jovem, depende. Uns caem de paraquedas aqui. Outros eu compro em leilões ou de antiquários, onde os donos não sabem direito o valor dos objetos que possuem. Eles vêm dos mais variados lugares.

Mais alguns instantes e Daniel disparou:

— O senhor não teria nenhuma Bíblia de Gutenberg, não é?

O rosto até então bem-humorado do ancião perdeu imediatamente o sorriso. Ele fitou Daniel por longos segundos, com os olhos apertados, pensativo.

— Rapazinho, você tem ideia do que está falando?

Daniel não sabia o que dizer. Não esperava essa reação. Constrangido, gaguejou, gaguejou e não conseguiu falar nada. O balconista continuou:

— Essa Bíblia é um tesouro, jamais viria parar num lugar como este.

Depois de alguns segundos, voltou a abrir um sorriso.

— E, se viesse, você não teria dinheiro para comprar.

— É que...

Daniel não conseguiu completar. Nesse momento, a porta se abriu e por ela passou um rapaz de sua idade, de camisa, bermuda e tênis, com um embrulho embaixo do braço. Seus olhares se cruzaram. De um lado, surpresa. Do outro, espanto.

— Crânio?

— Ricardo!

◆ ◆ ◆

— A paz do Senhor, Daniel. Que surpresa encontrar você aqui. Coincidência, né? — disse Ricardo, com ar desconfiado.

O balconista virou a cabeça de um para o outro.

— Vocês se conhecem?

Daniel ainda estava estático demais para responder.

— Sim, Ludovico, ele é da minha igreja — respondeu Ricardo.

Os três se entreolharam num silêncio que exigia um esclarecimento. Foi o balconista quem falou primeiro:

— Ricardo vem sempre aqui atrás de Bíblias. Ele, desde que virou crente, vive atrás de novidades, não é, Buiú?

Ricardo arregalou os olhos. *Buiú* era seu apelido na época em que estava envolvido com o crime. Um pensamento inevitável veio à mente de Daniel: "Se o chamou assim, é sinal de que os dois se conhecem há bastante tempo".

— Então vocês se conhecem há muito tempo? — perguntou.

Ricardo olhou para Ludovico de cara feia e respondeu às pressas.

— É, o Ludovico mora na minha comunidade. Depois que me converti, ele me falou para vir aqui ver os livros sobre religião e, desde então, venho colecionando Bíblias.

Tenho já um monte delas em casa. É como se fosse um *hobby*.

Depois de alguns instantes e trocas de olhares, Ricardo engatou:

— E você, como veio parar aqui?

Silêncio.

— É... bem... foi por meio de um irmão da igreja — disse, sem faltar com a verdade. Afinal, desde o incidente na casa de Sebastião, ele tinha aprendido que a verdade é sempre o melhor. — Soube que aqui tem muita coisa interessante e resolvi averiguar.

— E o que trouxe você de volta? — perguntou Ludovico, voltando-se para Ricardo.

— É que você se esqueceu de me dar o troco da minha compra de hoje — falou Ricardo, erguendo o embrulho que trazia consigo.

— Puxa vida, que cabeça a minha. Vem aqui que eu lhe dou o troco. — E, virando-se para Daniel, emendou: — Fique à vontade, rapazinho.

Ludovico e Ricardo se distanciaram até o balcão, enquanto Daniel fingia estar interessado na prateleira intitulada *História*. Por entre os livros, ele percebeu que os dois cochichavam.

"Pelo jeito, estou na toca do lobo. O que será que estão tramando?"

Minutos depois, a dupla se aproximou dele.

— Então, vai levar algo?

Daniel esticou a mão e pegou o primeiro livro que viu pela frente.

— Vou levar este.

Foram até o balcão, Daniel frustrado não só por ter sido descoberto, mas também por não ter encontrado nenhuma pista que o ajudasse a sair daquela situação. Pagou pelo livro, que foi cuidadosamente embrulhado por Ludovico. Chamava-se, por ironia do destino, *A História da Bíblia*. Agradeceu com um aceno de cabeça e dirigiu-se à porta, logo atrás de Ricardo. Na hora em que ia passando para o corredor, escutou o balconista chamar com um *psiu*. Virou-se e ouviu uma frase que o deixou em dúvida se era uma recomendação ou uma ameaça.

— Ei, rapazinho. Se quer um conselho, esqueça essa história de Bíblia de Gutenberg. Não é assunto para alguém da sua idade.

Daniel deu um sorriso amarelo, saiu e desceu as escadas. Ricardo já esperava por ele na rua.

— Escuta, Crânio, por que você não dá um pulo lá em casa? Tem uma coisa que eu queria te mostrar, se você prometer guardar segredo.

Por essa ele não esperava. E se fosse uma armadilha? E se todas aquelas pessoas da igreja estivessem certas e Ricardo não tivesse realmente se convertido? E se fosse um truque para atraí-lo a um lugar onde pudessem fazer algo contra ele? As perguntas deram um nó em sua cabeça.

Por outro lado, sua curiosidade jornalística o compelia a correr atrás dos fatos. Era uma ótima oportunidade para descobrir se Ricardo tinha algum envolvimento naquela história. O instinto falou mais alto que o medo.

— Sem problema. Estou com o resto do dia livre mesmo.

E seguiram para a estação de trem.

Ele mal podia imaginar o perigo que correria ainda naquela tarde.

Capítulo 7

TERÇA-FEIRA, FIM DA TARDE

*Por fim, o rei deu ordens para que Daniel fosse
preso e lançado na cova dos leões.*

DANIEL 6.16

Daniel e Ricardo foram conversando amenidades pelo caminho. Nenhum dos dois tocou no assunto do furto da Bíblia. Algo raro, pois desde domingo os membros da igreja não falavam de outra coisa. Eles desceram na estação e se dirigiram para uma das entradas da favela, a mesma por onde Daniel tinha passado naquela manhã. E adivinhem só quem estava plantado na calçada, atrás de um poste, no mesmo lugar em que Daniel o tinha visto horas antes?

Os dois passaram por Pedrão, Daniel fingindo que não o tinha visto. Se tivesse virado o rosto, teria visto a expressão de surpresa do homem, que, com uma sobrancelha levantada, observou aquele jovem passar novamente rumo ao interior da comunidade, quando tinha ficado o dia inteiro esperando que ele saísse.

"Essa é boa...", pensou o policial.

Os dois jovens seguiram pelas ruas estreitas até chegarem à porta do barraco.

— E aí, Ricardo, qual é a surpresa? — Daniel queria acabar logo com aquilo. O dono da casa apenas sorriu e soltou uma frase enigmática, que em nada ajudou a tranquilizá-lo.

— A curiosidade matou o gato.

Eles entraram e, na pequena sala do casebre, sentados no sofá, vendo TV, estavam os dois irmãos de Ricardo que eram envolvidos com o tráfico de drogas. Ao verem Daniel, franziram a testa.

— Espera aqui, Crânio. Vou fazer uma coisa e já volto — disse Ricardo e entrou no quarto, deixando o desconfortável colega a sós com os dois irmãos.

O único barulho que se ouvia era o da TV. Zé Buscapé e Maneco não desgrudavam os olhos de Daniel, que, sem erguer o rosto, orava em pensamento, pedindo proteção de todos os anjos do céu — e mais alguns, se possível!

Quem quebrou o silêncio foi Zé Buscapé.

— Qualé, Bíblia.

Daniel não entendeu direito se aquilo tinha sido uma pergunta, uma saudação ou o quê.

Mas o "Bíblia" era ele, isso ele entendeu.

— Oi... — disse, com um sorrisinho chocho.

— Aí, foi você que virou a cabeça do Buiú?

Daniel fez cara de espanto.

— Ahn?

— Tô perguntando se foi você que fez o Buiú largar o movimento e virar Bíblia?

Que situação. O ambiente não era dos mais amistosos. Aliás, não era nada amistoso, e Daniel procurava com cuidado as palavras para aquela conversa. Tudo o que ele não precisava era arrumar confusão com aqueles dois.

— É... bem... na verdade, não. Ele que...

Zé Buscapé se colocou de pé de um salto, ao mesmo tempo que interrompeu Daniel.

— Porque o moleque agora não quer saber de mais nada, só quer saber de igreja.

Nesse momento, Daniel percebeu que o clima era mesmo de hostilidade. Pior ainda, pela camisa entreaberta do rapaz, vislumbrou uma pistola enfiada em sua cintura. "Jesus do Céu...", pensou.

Maneco também ficou de pé e se posicionou ao lado do irmão. Na cintura dele, outra pistola. A situação se complicava.

"Meu Deus, será que caí numa armadilha?"

— E você sabe que igreja não enche barriga de ninguém, né não? — completou Maneco.

— Escuta, pessoal, o que houve com o Ricardo foi que ele encontrou o amor de Jesus Cristo e foi esse amor que o tirou dessa vida.

— Tô sabendo...

— E Jesus pode tirar vocês dessa também. Basta querer.

— Nem ele acreditava que teve coragem de dizer aquilo.

Maneco chegou mais perto. Daniel conseguia sentir o hálito dele no rosto e a coronha da pistola apertando sua barriga.

— Corta esse papo, Bíblia, pra nós é a guerra ou a vala, não tem outro jeito.

Daniel suava frio, mas algo o fez sentir que não podia deixar aquela inverdade ficar sem resposta.

— Olha, pessoal, sei que a vida de vocês não é fácil, mas existe outro caminho sim! É um caminho que, em vez da vala, leva vocês à vida eterna!

Os dois não esperavam que ele fosse reagir com palavras tão ousadas e com tanta autoridade. A postura firme mas gentil de Daniel fez com que eles parassem por um instante. Foi o suficiente para que ele começasse a falar do amor de Cristo e a contar histórias sobre pessoas que tinham saído da criminalidade graças ao evangelho. Ele só foi interrompido pela voz de Ricardo, vinda de outro cômodo.

— Aí, Crânio, chega mais.

Daniel concluiu sua fala:

—... e lembrem-se de que Jesus ama vocês e está de braços abertos, esperando. Agora, com licença.

Disfarçando as pernas trêmulas, entrou no quarto, onde Ricardo exibia, orgulhoso, uma prateleira na parede que tinha livros de um lado a outro, deixando para trás os dois irmãos atônitos.

— Olha só.

Ali havia, ao todo, sete Bíblias de cores diferentes, capas diversas e tamanhos variados. Todas naquele mesmo tom amarelado das que Daniel tinha visto na loja de Ludovico.

— Com o dinheiro que ganho com o churrasco, ajudo minha mãe e ainda consigo comprar essas Bíblias. Quero virar um colecionador!

Daniel passou os dedos pelos livros. Abriu um. Leu um versículo. Abriu outro. Leu mais um pouco. E assim foi, Bíblia a Bíblia, até ter visto as sete.

— Esta eu comprei hoje — exibiu Ricardo a última da prateleira.

Não deu para segurar o sorriso.

— É muito bonita, Ricardo.

Mas também não deu para segurar a vontade de perguntar. Olhou fundo nos olhos dele e disparou:

— Essas são as mais antigas que você tem?

Ricardo ficou em silêncio. A resposta foi desconcertante:

— Mais antiga que essas só mesmo a Bíblia de Gutenberg.

Daniel não sabia o que dizer. Tentou decifrar se havia algo por trás daquela frase. Mas lhe faltou certeza. E, nessas horas, o melhor é não dizer nada mesmo.

— Ricardo, já está escuro. Eu preciso ir embora.

— Sem problema, Crânio, vai nessa. Valeu pela visita.

Daniel passou pela sala e fez um aceno com a cabeça para Maneco e Zé Buscapé. Antes de sair, deu tempo de ver com o canto do olho que Maneco folheava a Bíblia de cultos de seu irmão, que, rapidamente, fez questão de esconder.

— 'Té mais, Bíblia.

Daniel se despediu de Ricardo, ainda sem entender direito se aquela visita tinha alimentado ou esvaziado as suspeitas que ele tinha do novo convertido. As últimas palavras do jovem confundiram ainda mais sua cabeça.

— Olha, Crânio, eu gosto muito de você. Cuidado com essa história de ficar perguntando por aí pela Bíblia que foi roubada. Deixa isso pros policiais. Eu conheço de perto o mundo da bandidagem e sei bem que mexer em vespeiro é pedir para levar ferroada. Se cuida e segue seu rumo, tá ligado?

Daniel fez que sim com a cabeça e começou a descer a ladeira. Em sua mente, só havia um pensamento: agora faltavam 24 horas para o fim do prazo dado pelo ladrão. Seu nome e sua liberdade estavam em jogo, além do dinheiro da reforma da igreja. Ele não tinha nada sólido que o ajudasse a apontar o verdadeiro culpado. Em seu peito, crescia uma sensação de angústia e, pelo jeito, não tinha muito mais o que fazer — a não ser pedir a ajuda de Deus.

◆ ◆ ◆

O editor de *O Arauto* foi orando pelo caminho, tentando juntar as peças do quebra-cabeça. Mas não chegava a conclusão nenhuma. Sebastião ou Ricardo? Quem era o culpado? Quando dobrou a esquina de sua rua, viu de longe que um carro da polícia estava parado na porta de casa. Daniel estancou e retrocedeu alguns passos. Algo lhe dizia para não ir até lá. Pensou alguns instantes e, como seu telefone celular estava quebrado, precisou recorrer a um orelhão que havia na rua de trás. Que hora para ficar sem celular! Por sorte, sempre carregava um cartão telefônico na carteira.

— Atende, Bruno — torceu.

Felizmente, foi o irmão quem falou do outro lado do aparelho.

— Alô.

— Bruno, aqui sou eu. Mas não dá bandeira, tudo bem?

— Tá.

— Tem alguém aí?

— Um-hum.

— É a polícia?

— Um-hum.

— Estão atrás de mim?

— Um-hum.

— Aconteceu alguma coisa?

— Um-hum.

— Você acha que dá para dar uma escapada e vir me encontrar no orelhão aqui da rua de trás?

— Vou tentar.

— Beleza, mano, estou esperando.

Passaram-se alguns minutos e, então, apareceu o irmãozinho de Daniel.

— Oi, Dani! Não posso demorar muito, saí escondido, mas não vai demorar para a mamãe ver que eu sumi.

— O que aconteceu?

— Olha, saiu o resultado dos testes com as impressões digitais.

— E aí?

— A coisa complicou para o seu lado, Dani. Na valise onde estava a Bíblia só tinham as impressões do missionário Cláudio e do diácono Wesley. Na carta com o bilhete do resgate, tinham várias impressões, mas nenhuma de ninguém da igreja. Eles acham que devem ser do pessoal dos correios, por exemplo. E, no computador da igreja, só tinham as digitais do pastor Wilson... e as suas.

— É claro, só nós mexemos nele.

— Até aí tudo bem. O problema é que tem uma novidade.

— O quê?

— Chegou o terceiro bilhete. Estava em um envelope sem o carimbo dos correios, e foi deixado direto na caixa de correspondência da igreja.

— E o que dizia?

— Eu imaginei que você fosse querer saber, por isso copiei o texto.

Bruno estendeu um papel, onde se lia com sua letra de menino de oito anos:

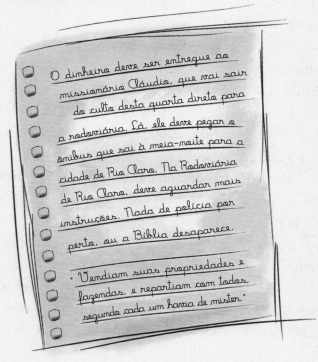

"O dinheiro deve ser entregue ao missionário Cláudio, que vai sair do culto desta quarta direto para a rodoviária. Lá, ele deve pegar o ônibus que sai à meia-noite para a cidade de Rio Claro. Na Rodoviária de Rio Claro, deve aguardar mais instruções. Nada de polícia por perto, ou a Bíblia desaparece.

"Vendiam suas propriedades e fazendas, e repartiam com todos, segundo cada um havia de mister."

Daniel leu em silêncio. "Atos capítulo dois, versículo quarenta e cinco", pensou. Refletiu um pouco e indagou.

— Mas por que isso me complicaria mais?

Bruno segurou o braço do irmão.

— Dani... encontraram as suas impressões digitais no envelope. *Só as suas*. Eles agora não têm dúvidas de que você é o ladrão. Assim que te encontrarem, vão te prender.

Seguiu-se um silêncio mortal.

— Como é possível...

Daniel não entendeu nada. Seu peito ficou ainda mais apertado, e os olhos brigaram para não deixar escorrer as lágrimas que brotavam por baixo das pálpebras. Bruno continuou:

— A polícia esteve na igreja e comparou esse envelope com os que ficam na gaveta junto ao computador. É um deles.

De fato, o pastor Wilson mantinha na gaveta uma pilha de envelopes para correspondência, e Daniel vivia mexendo ali para pegar borrachas, lápis, apontadores, folhas de papel e, eventualmente, até envelopes.

— E como está a mamãe?

Com um olhar, Bruno respondeu. É claro que ela estava arrasada.

— Para piorar, Dani, teve um policial que seguiu você hoje até uma favela, conhecida por ter muito bandido. Eles acham que você está escondendo a Bíblia lá.

Daniel se revoltou:

— É, lá tem bandido, mas também tem muita gente direita, trabalhadora. Isso é puro preconceito!

Mas ele sabia que isso não significava nada naquele momento. Daniel era o principal suspeito, os indícios contra ele eram muito fortes e não havia mais nada que ele pudesse fazer. Confuso, tentou pensar que rumo tomar. Ele só tinha uma alternativa: fugir.

— Olha, Bruno, eu vou ter de ficar um tempo sozinho, para decidir o que fazer. Volta para casa e, quando os policiais não estiverem por perto, avisa a mamãe que eu estou bem e vou dormir fora.

— Tá bom, Dani. Toma cuidado.

— Pode deixar, mano. Te amo muito, viu?

Daniel abraçou forte o irmão e, nesse momento, não conseguiu mais segurar as lágrimas. Ali ele percebeu que é nas horas de maior aflição que as pessoas passam a valorizar os abraços afetuosos daqueles que amam. Que é nessas horas que todas as briguinhas com os irmãos e os atos de rebeldia contra os pais, as discussões, os bate-bocas, perdem o sentido. O que passa a fazer sentido é só o afeto, o carinho e o amor.

— Deus te abençoe — disse Daniel.

E partiu, os olhos cheios de lágrimas, pela rua escura.

Capítulo 8

QUARTA-FEIRA, DE MANHÃ

Meu Pai! Se for possível, afasta de mim este cálice.
MATEUS 26.39

— Acorda, dorminhoco.

Daniel abriu os olhos, ainda confuso e zonzo pelo sono. Olhou em volta, atordoado, tentando lembrar onde estava e como tinha parado ali. O ambiente era familiar, mas não era aquele em que costumava despertar todas as manhãs. Aos poucos, a lembrança do que havia acontecido na véspera lhe veio à mente, clareando as ideias.

Depois que se despediu do irmão, começou a andar sem rumo pela cidade. Cansado e já morto de sono, chegou a um parque e, sentindo-se como um indigente, deitou-se em um dos bancos. Era uma noite fria, e não havia nada com que se cobrir. Usando o livro que comprou no sebo como travesseiro, ajeitou-se da melhor forma que pôde.

Quando tinha conseguido cochilar, foi acordado de um susto por alguém que o cutucava.

— Ei, você.

Assustado, Daniel sentou-se no banco. Ao seu lado, de pé, havia um policial fardado. "Pronto, me descobriram", pensou.

Ele tinha algumas opções. Seu primeiro impulso foi correr, mas, se o guarda decidisse atirar... ele nem queria pensar naquilo! Podia se fazer de desentendido ou até se fingir de surdo. Não, isso de nada adiantaria. Além disso, estava decidido a nunca mais fazer algo que soubesse ser incorreto. É, talvez o melhor fosse se conscientizar de que tinha chegado ao fim da linha.

— É proibido dormir em banco de praça. Você não tem casa, garoto?

Custou um pouco para Daniel perceber que aquele guarda não estava ali para prendê-lo.

— Desculpe, seu guarda, já estou indo.

Às pressas e evitando qualquer explicação, o jovem voltou às ruas. Foi quando, faminto e exausto, lembrou-se de alguém que nunca o tinha deixado na mão.

Andou uns quinze minutos até chegar à casa de Marcos, o amigo de infância. Deu a volta pela lateral até a janela do quarto dele. A luz estava acesa. Daniel chegou perto e deu umas batidinhas no vidro. Logo, o rosto do colega apareceu.

— Crânio, você por aqui!

— Oi, Marcos. Será que você pode me dar uma ajuda?

Daniel pulou para dentro do quarto.

— Sua mãe ligou, querendo saber se eu tinha ideia de onde você estava. Disse que a polícia está atrás de você! Que maluquice é essa?

Daniel aproveitou a deixa e desabafou. Enquanto comia, esfomeado, um pacote de biscoitos, contou para o amigo tudo o que tinha acontecido desde o domingo à tarde e como tinha se tornado o suspeito número um do furto.

— Cara, estou angustiado, não sei o que fazer.

Nessa hora, Daniel entendeu o versículo de Provérbios 17.17, que diz: "O amigo é sempre leal, e um irmão nasce na hora da dificuldade". Marcos ouviu tudo com muita atenção. Quando Daniel terminou o desabafo, o amigo ficou um tempo pensativo. Então, falou:

— Crânio, também não sei o que fazer, mas sei duas coisas. Primeiro, você hoje vai dormir aqui. Meus pais saem amanhã cedo para trabalhar e eu tenho de ir para o cursinho. Mas você pode ficar aqui. Segundo, quero orar por você.

Com um aceno de cabeça, Daniel concordou. Os dois se ajoelharam, Marcos pôs o braço em volta do ombro do amigo e começou um clamor sincero a Deus. Assim ficaram por quase meia hora. Foi um tempo de lágrimas e palavras fervorosas. Ao final, Daniel se sentia um pouco mais leve.

— Valeu, meu amigo — disse, dando um forte abraço em Marcos.

— Agora, vamos dormir, porque o dia vai ser longo.

Marcos sacou um colchonete do armário e forrou com um lençol. Deitou-se nele e ofereceu para Daniel.

— Hoje você pode ficar com a minha cama.

Pouco tempo depois, estavam dormindo.

◆ ◆ ◆

Quando Daniel ouviu a voz de Marcos, demorou a trazer à mente como tinha ido parar ali. Mas, assim que a

ficha caiu, os sentimentos de tristeza e impotência voltaram com a carga toda.

— Acorda, dorminhoco.

— Bom dia... — sussurrou em meio a uma espreguiçada.

— Olha, meus pais já saíram e eu vou ter de ir agora.
Deixei um café pronto na mesa da cozinha, é só pegar.

— Valeu.

Depois de uns instantes em silêncio, Marcos fez um ar
grave e acrescentou:

— Crânio, eu andei pensando. Acho que o melhor
é você se entregar. Ficar fugindo não vai resolver nada.
Você tem de encarar essa de frente.

Naquele momento, a tristeza aumentou.

— Mas eu sou inocente, Marcos.

O amigo pôs a mão em seu ombro.

— Eu sei, Crânio. Mas fugir não vai ajudar a provar isso.

Depois que Marcos saiu, Daniel ficou pensativo. Enquanto não decidia o que fazer, resolveu que ficar ali não
era uma boa ideia. A casa do melhor amigo certamente
seria um dos primeiros lugares onde a polícia o procuraria. Assim, acabou o café, tomou um banho, pegou seu
livro e pulou pela janela.

Mas já era tarde demais. Foi só pisar na rua que o que
mais temia aconteceu. Chegando à casa de Marcos estava
um carro da polícia e, dentro dele, Pedrão. Durante um
longo segundo, os olhares deles se cruzaram.

— Parado! — gritou o policial.

Daniel não teve tempo de pensar e agiu guiado pelo
instinto. Disparou a correr.

Sem olhar para trás, partiu na direção oposta à que tinha vindo o carro, o que lhe deu segundos preciosos de vantagem. Pedrão hesitou, pensando se contornava com o carro ou se partia em perseguição a pé. Decidiu encostar. Abriu a porta e saiu correndo.

Daniel dobrou a esquina, entrou pela avenida principal e tentou imaginar para onde ir. Esbaforido, partiu rumo ao *shopping center*, que ficava a uns cinco quarteirões de distância. Seria preciso muito fôlego para chegar lá sem ser alcançado pelo policial. A diferença de idade era um ponto a seu favor.

Depois de percorrer uns cem metros, deu uma espiada por sobre o ombro: lá estava Pedrão em seu encalço.

— Pare! — gritou novamente.

Daniel teve de pensar rápido. Havia um ônibus parado num ponto, com a porta aberta. A hora era essa! De um salto, atirou-se dentro do coletivo, enquanto procurava o policial pela janela. Quando o ônibus acelerou, viu seu perseguidor ficar para trás.

Respirou fundo, tomou fôlego e tentou organizar as ideias. "Ele vai voltar, pegar o carro e vir atrás de mim", pensou. Era preciso agir rápido, mas, para isso, dependia da velocidade do motorista. Eram só cinco quarteirões, mas o tempo que levou até chegar ao *shopping* pareceu uma eternidade, em razão do trânsito engarrafado. Passou a roleta, pagou a passagem e deu sinal para saltar.

Assim que desceu, olhou para trás. Lá estava ele: a poucos metros, o carro da polícia vinha a toda, com um homem calvo e de grossos bigodes negros ao volante. Saiu desenfreado em direção à porta principal do *shopping*.

O prédio parecia ser um bom local para despistar alguém. Muitos corredores, muita gente, muito lugar onde se esconder. Daniel irrompeu pela porta principal e, automaticamente, reduziu o passo. Correr dentro de um *shopping* certamente chamaria mais atenção do que ele desejava. Olhou para trás e... que coisa, lá vinha Pedrão, uma cara de poucos amigos, o carro largado em cima da calçada.

"Jesus, e agora?"

Olhou para a esquerda e para a direita. E para a esquerda. E para a direita. Seguiu em frente. Entrou na escada rolante. Quando estava na metade, cruzou olhares com o policial.

— Pare!

Foi a senha para Daniel começar a correr escada acima, esbarrando nas pessoas e desviando-se de sacolas e embrulhos, com Pedrão em seu encalço. Chegou ao segundo piso e deu de cara com uma enorme loja de diversões eletrônicas. Apressou-se a entrar e olhou em volta, à procura de um lugar para se esconder. No fundo, em meio a máquinas de fliperama e de *games* variados, ficava uma porta larga com uma placa onde se lia *Sala de Espelhos*. Só lhe restavam poucos segundos, por isso não teve dúvidas: sacou o dinheiro do ingresso, comprou às pressas uma entrada no guichê e entrou pela porta, a tempo de ver pelo canto do olho o policial chegar ao topo da escada rolante e olhar em volta à sua procura.

"Tomara que não tenha me visto."

Dentro do salão havia uma série de corredores com paredes escuras e, presos a elas, muitos espelhos dos mais variados formatos e tamanhos. Cada um distorcia a imagem de um jeito diferente, deixando a pessoa que estivesse olhando mais magra, mais gorda, mais alta e coisas do tipo.

Daniel apressou-se em se esconder em um dos corredores. Agora era esperar.

Ficou uns minutos parado, em silêncio, com a respiração ofegante. O calor estava insuportável, parecia uma sauna escura. Em sua mão, o embrulho do livro que tinha comprado na véspera se esfacelava entre seus dedos suados.

Até que...

Clic!

De um estalo, a porta do salão abriu. Por uma fresta entre dois espelhos, viu quando aquele rosto familiar entrou no recinto.

"Essa não!"

Instintivamente, agachou-se e procurou se mexer o menos possível. Do outro lado do corredor havia um espelho torto que, por seu formato, criava um vão entre a lâmina e a parede. Era sua única escapatória.

Daniel arrastou-se silenciosamente até o espelho e, encolhendo o corpo, enfiou-se no pequeno espaço como um animal em sua toca, as gotas de suor escorrendo pelo pescoço, pelos braços, pela alma. E ficou em silêncio.

Foram momentos de agonia. Naquele instante, veio à mente de Daniel a expressão "choro e ranger de dentes". O sofrimento da solidão, da falta de perspectiva, de saber que existe alguém que quer agarrá-lo e fazê-lo sofrer. Aquela situação era terrível. Era... infernal!

O ruído dos passos denunciou a aproximação do policial.

Tum...
Tum...
Tum...
Tum...

Os segundos pareceram horas. Daniel viu quando ele passou a poucos centímetros de onde estava, sem notar sua presença, a passos lentos. O jovem ergueu os olhos e observou Pedrão caminhar cautelosamente, até que entrou por outro corredor. Estava insuportável ficar ali. Daniel calculou a distância até a porta. Era arriscado. Mas valia a pena tentar escapar.

Esgueirou-se para fora do esconderijo, levantou-se e caminhou pelo corredor até a primeira bifurcação. Se corresse, alcançaria a porta em sete ou oito passos. Mas, assim que ouvisse a maçaneta girar, Pedrão viria atrás dele. E aí seria um Deus nos acuda!

Daniel entrou por outro corredor, na direção oposta à que o policial tinha ido. Foi quando, subitamente, viu uma portinha estreita no fundo do salão, onde se lia o letreiro: *Saída de emergência*. Era o momento de decidir. Ou se arriscava pela porta larga, ou pela estreita. A larga ele conhecia, sabia o que tinha atrás. A estreita era misteriosa, mas poderia ser uma boa — talvez a única — alternativa de fugir daquele inferno. O único caminho para a salvação.

De repente, um ruído.

Clic!

Pela porta principal entrou um grupo de crianças barulhentas, rindo e falando alto. Era agora ou nunca!

Aproveitando a distração causada pelos meninos, Daniel disparou e abriu a porta de emergência. Do outro lado, havia uma escada de ferro. Subia ou descia? Na dúvida, decidiu subir. Saiu correndo escada acima, saltando de dois em dois degraus.

"Acho que agora me livrei dele", pensou, aliviado.

Puro engano.

Mal tinha subido dois lances de escada, Daniel ouviu o barulho da porta se abrindo. Ele nem precisava ver para saber quem era.

"Essa não!"

Chegou ao terceiro andar e tentou voltar para dentro do *shopping*. Para sua surpresa, a porta estava trancada. Tentou subir o mais silenciosamente possível para o quarto andar, mas não havia jeito de caminhar por aquela escada de ferro sem fazer um enorme barulho com os pés. Ao constatar isso, lançou-se com tudo para o andar de cima, com os ouvidos atentos aos passos do policial, que novamente estava em seus calcanhares.

Para seu alívio, a porta do quarto andar estava aberta. Ele saiu num corredor onde havia banheiros e bebedouros. E agora? Em segundos, Pedrão estaria ali. Decidiu se misturar à multidão. Ignorou os banheiros e se enfiou pelos corredores, em direção às escadas rolantes. Mas, antes que chegasse a elas, viu ao longe seu perseguidor, que também o viu. Olhares cruzados. Não dava mais para tentar se misturar. Daniel tomou impulso e partiu em desabalada carreira pelo *shopping*.

Ao dobrar uma esquina, deu de cara com uma loja de departamentos. Entrou por ela e continuou, abaixado, por entre as estantes. Caminhou um bom pedaço até chegar à seção de artigos de *camping*. Havia uma barraca montada, em exposição. Olhou para os lados e, sem que ninguém visse, atirou-se dentro, fechando o zíper da entrada.

Demorou algum tempo até que sua respiração voltasse ao compasso normal. Ele não conseguia enxergar do lado de fora e não dava para ver se Pedrão estava por perto. Agora, só lhe restava esperar.

E esperou. Dez minutos, vinte, quarenta, uma hora. Até que decidiu que era hora de sair.

"A esta altura ele já deve ter ido embora", pensou.

Lentamente, Daniel abriu o zíper da barraca e enfiou a cabeça para o lado de fora. Olhou para um lado. Olhou para o outro. Nem sinal do policial. Perto dali, um dos vendedores da loja reparou naquela figura estranha e soltou uma interjeição, admirado.

— O quê!?

Antes que chamassem sua atenção, Daniel saiu da barraca e pôs-se em marcha para fora da loja. Tudo tranquilo, a hora era essa. Ele evitou as escadas rolantes e preferiu pegar o elevador. Apertou o botão e esperou com impaciência a porta se abrir. Ao chegar ao primeiro piso, em vez de sair pela porta principal buscou uma saída lateral.

Grande erro.

◆ ◆ ◆

Pedrão era um policial experiente. Ele sabia que uma pessoa acuada evita transitar pelos locais mais óbvios e prefere se esgueirar nas sombras. Por isso, assim que perdeu Daniel de vista, decidiu que, para agarrá-lo, teria de se posicionar na saída de menos movimento do *shopping*. Correu para o primeiro piso e estudou o ambiente. Havia a porta principal e duas secundárias, laterais, além da rampa de saída do estacionamento.

Pela rampa ele não deveria sair, um pedestre caminhando pelo acesso dos automóveis chamaria muita atenção. A porta principal também estava descartada. Sobravam as laterais. Mas... qual delas? Impossível saber. "Vou ter que contar com a sorte", pensou. Assim, posicionou-se dentro de uma loja de roupas femininas que ficava ao lado de uma das portas secundárias. E esperou.

Ficou ali por um longo tempo. As vendedoras da loja foram abordá-lo umas três vezes, intrigadas com aquele homem que, além de estar numa loja de artigos para mulheres, não comprava nada mas também não ia embora.

— Estou só olhando — desconversava.

Até que...

Pela vitrine, Pedrão viu quando Daniel passou pelo corredor, olhar atento, meio desconfiado, passos apressados em direção à porta.

"Bingo", comemorou.

O policial saiu da loja, atravessou a porta e ganhou a rua. Estava a poucos metros de Daniel. Chegou por trás e estendeu a mão para agarrá-lo.

◆ ◆ ◆

Daniel saiu pela porta e olhou para os lados. Nem sinal de Pedrão. "Ótimo", suspirou aliviado. Estacionados ao longo do meio-fio, táxis em fila estavam à espera de passageiros. Mais relaxado, o jovem olhou para os carros. Foi quando, pelo reflexo na janela de um deles, viu quando aquele homem de bigodes negros chegou por trás, o braço esticado, prestes a pegá-lo pela camisa.

Sua reação foi instintiva. Num reflexo, Daniel torceu o corpo para escapar da mão de Pedrão. Tudo aconteceu num piscar de olhos. Surpreso com a reação inesperada, o policial ficou um instante sem ação. Foi o suficiente para que o jovem desse um drible nele e disparasse rua acima.

Naquele momento, uma vez mais a diferença de idade pesou. Por mais que Pedrão acelerasse, Daniel aumentava a distância. O que restava de fôlego ao policial foi usado para ensaiar um grito, que saiu mais parecido com um gemido:

— Pa... re...

Mas o jovem não parou. Dobrou a esquina e correu, correu e correu sem olhar para trás. Enfiou-se por ruas e becos até que, convencido de que tinha despistado seu perseguidor, decidiu descansar e pensar no que fazer. Não dava para ficar fugindo eternamente.

Lá atrás, irado por ter perdido mais uma vez o suspeito, Pedrão arfava, os pulmões queimando, o coração acelerado. As mãos, apoiadas nas coxas, o ajudavam a respirar. Dessa vez sua paciência tinha se esgotado. Ali ele tomou a decisão:

— Se esse moleque fugir de mim mais uma vez, vou obrigá-lo a parar de qualquer jeito. Nem que para isso tenha que tomar medidas drásticas — disse, colocando a mão sobre o cabo da pistola que carregava na cintura.

◆ ◆ ◆

Daniel perambulou horas pelas ruas. E chegou à conclusão de que Marcos estava certo: o melhor era se entregar. Tomou uma decisão. Resolveu que iria ao culto da noite e, após a bênção final, procuraria a polícia.

Naquele momento, passou por sua cabeça tudo o que teria de sofrer a partir daquela noite. Pensou na humilhação de ser detido e interrogado. Pensou no sofrimento das pessoas que o amavam e que o veriam naquela situação. Pensou no sofrimento psicológico que teria de enfrentar, nas palavras duras que sabia que seus acusadores lhe dirigiriam. Pensou no sofrimento de ter de encarar uma noite em claro, sendo acusado e interrogado, provavelmente recolhido, ao final, a uma cela desconfortável, onde compartilharia o mesmo espaço com autênticos malfeitores — sendo inocente.

Pensou em tudo isso e chorou. Chorou e orou.

A oração fez com que Daniel pensasse em Jesus. Ali, sentindo-se só, ele entendeu com uma clareza e uma profundidade que nunca tivera antes o tamanho do sacrifício de Cristo ao se entregar ao sofrimento pela humanidade. Ele entendeu a solidão que o Messias sentiu, do Getsêmani à cruz, a ponto de se sentir abandonado até pelo Pai.

Entendeu o que significa ser inocente, esforçar-se para ajudar aqueles que você ama e mesmo assim ter de se entregar voluntariamente a seus algozes para ser interrogado, questionado, acusado, humilhado. E entendeu também que, às vezes, por mais injusto que seja passar por tudo isso sendo inocente, é o que tem de ser feito.

"Foi levado como cordeiro para o matadouro", lembrou-se de Isaías 53.

Quando se deu conta, já passava de duas da tarde. Comeu um sanduíche em uma lanchonete e foi até o mesmo parque da véspera para sentar, descansar e aguardar a hora do culto. Ajeitou-se em um dos bancos e, para tentar enganar a angústia, resolveu folhear o exemplar de *A História da Bíblia*. Ironicamente, havia um trecho do livro dedicado inteiramente à Bíblia de Gutenberg, à sua história e às suas características.

Quando terminou de ler, já estava tarde. Antes de fechar o livro, procurou nos bolsos algo com que pudesse marcar a página. Encontrou um papel todo amassado, no bolso de trás da calça. Era a folha que tinha usado para fazer anotações para a matéria que pretendia escrever para *O Arauto* sobre a Bíblia de Gutenberg. Com toda aquela confusão, o jornal de que ele tanto gostava tinha ficado em segundo plano. Provavelmente, nunca mais haveria uma nova edição.

Encaixou o papel na página e ia fechar o livro, mas parou. Uma linha que tinha escrito dias antes chamou sua atenção. Daniel abriu o livro, leu o que estava na folha e depois o que estava nas páginas. "Engraçado...", pensou. Fechou o livro, levantou-se e começou a caminhar para a igreja, em sua via-crúcis particular.

◆ ◆ ◆

O sol já lançava os últimos raios sobre o horizonte quando Daniel chegou à rua de sua tão querida igreja. De longe, olhou para ver se descobria onde se escondiam os policiais, pois eles certamente estariam ali à sua espera. Não deu outra. No alto da escada, parado na porta que dava acesso ao templo, alisando o bigode negro, estava, vigilante, o homem que o tinha perseguido aquela tarde e que não saía do seu pé. Parecia que sabia com antecedência onde ele estaria.

Mesmo à distância, dava para ver que as pessoas que chegavam para o culto comentavam sobre o sumiço da Bíblia. Muitos paravam na calçada e conversavam em meio a muita gesticulação. Daniel não tinha certeza se a suspeita que pairava sobre ele já havia se espalhado entre o pessoal ou se os pastores tinham conseguido manter segredo, mas, por via das dúvidas, tentaria entrar sem chamar muita atenção. Afinal, sentia muita necessidade de participar do culto antes de entregar-se — sabe-se lá quando ele teria novamente a oportunidade de ir à igreja.

Mas como entrar com aquele homem plantado na porta do santuário? Daniel começou a observar. Parecia que o mundo inteiro estava ali hoje. O assalto tinha despertado a curiosidade de muita gente, que queria ver o que o pastor diria sobre o assunto. Daniel viu Sebastião e também Ricardo. Pastor Wilson, o missionário Cláudio, o diácono Wesley. O fã-clube de Daniel também. As senhoras do coral. Marcos chegou, olhando em volta, certamente para ver se o encontrava.

Foi quando Daniel teve uma ideia. Ele viu aproximar-se irmã Josélia, uma senhora na casa dos sessenta anos que tinha um corpo bastante avantajado. Ela caminhava pela calçada oposta, a passos lentos e pendulares, em direção à igreja. Daniel deixou seu posto de observação e correu em direção a ela.

— Irmã Josélia, a paz do Senhor! Como é bom vê-la!

Com sua risada de contralto, ela olhou para o jovem e respondeu com seu habitual bom humor.

— Salve, Daniel, Deus o abençoe! Como vai você?

Daniel deu o braço à irmã e engatou uma conversa qualquer sobre o clima, enquanto caminhava com ela. Quando chegaram ao pé da escada que levava da rua ao santuário, ele abaixou-se atrás do corpo volumoso da irmã. Muitas pessoas entravam naquela hora e Pedrão não notou quando, no meio do povo, passou aquela mulher corpulenta e, ao lado dela, abaixado, o jovem Daniel.

Quando chegaram dentro do templo, ele deu um beijo na bochecha da irmã Josélia e esgueirou-se até um banco num canto da igreja que ficava fora do ângulo de visão do policial.

Ainda faltavam uns dez minutos para o início do culto. Sentado com o rosto entre as mãos para não ter de falar com nenhum conhecido, Daniel orou a Deus, pedindo clareza e calma. Mas era difícil ter calma naquela circunstância.

O pensamento voava e atrapalhava a oração. Daniel olhou em volta. Lá estava Ricardo, alguns bancos à frente. Quando virou o rosto para o outro lado da igreja, viu sua mãe e seu irmão. Daniel sofria de pensar que sua mãe presenciaria todo aquele processo constrangedor da prisão e de seu sofrimento. "Não foi fácil para o Senhor, não é?", perguntou para Jesus, lembrando que ele também tinha vivido uma experiência parecida. Ver a mãe sofrer... ninguém merece. Afundou-se ainda mais no banco, para evitar ser visto.

Naquele momento, pela portinha da direita, entraram o pastor Wilson e o missionário Cláudio, ambos com o rosto carregado. O visitante pregaria naquela noite e trazia sob o braço sua enorme Bíblia amarelada e de capa preta. Na mão do pastor, uma maleta do tipo que aparece em filmes de espionagem. Daniel sabia o que havia ali: os cem mil em dinheiro que o ladrão tinha pedido de resgate e que o missionário teria de levar após o culto para a rodoviária. Os mesmos cem mil que foram arrecadados com o esforço de cada membro da igreja e que seriam usados na reforma da congregação. Era revoltante.

O pastor foi ao microfone e deu início ao culto.

— A paz seja com vocês.

Daniel começou a tremer.

Capítulo 9

QUARTA-FEIRA, À NOITE

Não tenha medo dos terrores da noite,
nem da flecha que voa durante o dia.
SALMOS 91.5

Marcos estava sentado duas fileiras atrás de Daniel, junto ao corredor. Ele percebeu a presença do amigo logo no começo do louvor. Viu que Daniel cantou as músicas baixinho, sem sorrir, o que era algo raro de se ver. A canção final era um hino de adoração, e Marcos percebeu quando o amigo sentou-se e abaixou a cabeça, o rosto enfiado entre as mãos.

De vez em quando, era possível ver que Daniel dava umas espiadinhas para o lado da porta, certamente para checar se o policial que estava ali de pé o tinha visto. Nessas horas, Marcos notava que os olhos do amigo estavam cheios de lágrimas.

Terminado o louvor, o pastor Wilson, com um incomum tom sério, passou a palavra para o missionário Cláudio. Também com as feições carregadas, ele pegou o microfone e anunciou a passagem-tema de sua pregação: 1Coríntios 13.

A congregação aguardava ansiosa alguma informação acerca do furto da Bíblia de Gutenberg, mas, pelo visto, o pastor só daria uma palavra sobre o assunto no final do culto. Marcos abriu sua Bíblia na passagem indicada e observou que Daniel estava sem nenhum exemplar das Escrituras. Com ele, havia apenas aquele livro que o viu carregar quando esteve em sua casa.

— Se eu falasse as línguas dos homens e dos anjos...

Marcos percebeu que, embora não estivesse acompanhando a leitura na Bíblia, Daniel ouvia atentamente as palavras do missionário. Abaixou os olhos e voltou a ler. Pouco depois tornou a olhar para seu amigo. O que ele viu o deixou amedrontado.

Daniel estava imóvel. O olhar, esbugalhado, estava fixo no púlpito. Ele conhecia havia anos aquele olhar, que surgia sempre que Daniel ficava tenso. Alguma coisa estava acontecendo.

Marcos fixou-se em Daniel. Enquanto o missionário continuava a leitura, o Crânio alterou a expressão. Dava para ver que ele estava com o pensamento a mil por hora, e seu olhar mudou para perplexidade. De repente, seus lábios se moveram e ele murmurou alguma coisa que Marcos não conseguiu entender. Foi então que a cena inusitada o deixou boquiaberto.

Do nada, Daniel pegou seu livro, saiu do lugar e desatou a correr pelo corredor central da igreja em direção à porta que dava acesso do púlpito ao primeiro andar. Seu grito interrompeu a leitura e deixou todos perplexos.

— É isso!

Quase no mesmo momento, Marcos ouviu a voz do policial que estava na porta do santuário.

— Pare! Pare!!

Naquele momento, Daniel já tinha desaparecido pela porta, escada abaixo. O que se viu a seguir deixou Marcos com os cabelos em pé. Ele olhou para o lado e viu Pedrão correr atrás de seu amigo enquanto enfiava a mão dentro do paletó e sacava uma reluzente pistola. Os olhares de todos congelaram na direção do policial. O silêncio tomou conta do salão.

— Pare!!!

Marcos viu o pastor Wilson olhando para os lados como que tentando decidir o que fazer, mas o inesperado da cena parecia tê-lo deixado sem ação. Instintivamente, o jovem virou o rosto em direção a dona Alzira, tão paralisada quanto o resto das pessoas.

Os segundos que se seguiram foram de total apreensão. Pedrão desceu como um raio pela escada e deu para ouvir que ele gritava alguma coisa para Daniel. Foi aí que Marcos se deu conta: "Meu Deus, ele está correndo atrás do Crânio... armado!". Saindo do estado de choque em que estava, deixou seu lugar e partiu em direção à porta por onde os dois tinham descido. No momento em que ia passar por ela, um barulho seco e alto ecoou pela igreja.

O barulho de um tiro.

Muitas pessoas levaram a mão à boca, num gesto que refletia perplexidade e medo. Dona Alzira caiu sentada no banco, enquanto Bruno deixou o queixo cair. O missionário Cláudio fechou a Bíblia. O pastor Wilson ensaiou descer do púlpito. Ricardo deu passos em direção ao corredor e ameaçou uma corrida hesitante.

O som do tiro pareceu ecoar por uma eternidade.

— Daniel! — gritou Marcos, e voou pela escada, seguido por alguns dos membros da igreja, que pareciam ter despertado de um estado hipnótico.

Chegou ao primeiro andar e foi aos saltos até a porta do gabinete do pastor. No ar dava para sentir o cheiro de pólvora. Parado na porta, Pedrão ainda segurava a arma fumegante, apontada para o fundo da sala.

— Daniel! — gritou Marcos em pânico.

Ali estava seu amigo, parado de pé, com um exemplar de O *Arauto* na mão. Sua testa brilhava de suor. Na parede, poucos centímetros acima de sua cabeça, havia um inconfundível buraco de bala.

E, em seu rosto, um largo sorriso.

Capítulo 10

A HORA DA VERDADE

Então conhecerão a verdade,
e a verdade os libertará.
João 8.32

O povo se acotovelava no corredor, do lado de fora do gabinete, tentando entender tudo o que tinha acontecido. Dentro da sala, Daniel esperava sentado em uma das cadeiras pela chegada do inspetor Benevides. Ao seu lado, de pé, estavam sua mãe e seu irmão, o pastor Wilson e o missionário Cláudio. Junto à porta, Marcos e Ricardo aguardavam em silêncio, perto do diácono Wesley, que tentava impedir a entrada de mais pessoas. O zelador Sebastião o ajudava nessa tarefa. Atrás de Daniel, Pedrão o mantinha sob vigilância.

Passando com dificuldade pela multidão, o inspetor conseguiu entrar no gabinete. Olhou em volta, cumprimentou as pessoas com um aceno de cabeça e voltou-se para Daniel. Depois, observou o buraco de bala na parede e voltou a olhar para Daniel.

— É, garoto, eu soube que você escapou por pouco de tomar um tiro. Que confusão, hein?

Daniel olhou para ele, tomou coragem e disse:

— Deus me guardou para que eu pudesse estar aqui, diante de todos vocês, e esclarecer essa história.

Benevides sorriu.

— Então você vai confessar?

Daniel abriu um sorriso ainda mais largo, com um ar vitorioso.

— Não tenho o que confessar, inspetor, pois sou inocente. Mas sei quem é o ladrão.

O silêncio que perdurava até então deu lugar a um burburinho. O inspetor olhou de lado e, desconfiado, prosseguiu.

— É mesmo? Bem, sou todo ouvidos.

Pedrão interrompeu:

— Inspetor, finalmente capturei o suspeito, por que não o levamos logo para a delegacia?

Foi dona Alzira quem, por sua vez, interrompeu o policial e protestou:

— O mínimo que se pode fazer é deixar meu filho falar, já que ele tem algo a dizer.

O inspetor Benevides olhou para ela e para Daniel e deu o sinal verde.

— Não custa nada.

Antes de começar a falar, Daniel se ajeitou na cadeira, espiou em volta e viu todos os olhares voltados para ele. Então, disse:

— No início, logo após o desaparecimento da Bíblia, eu tive dois suspeitos. O primeiro deles era você, Sebastião.

Todos voltaram-se para o zelador, que arregalou os olhos e tentou balbuciar algo, mas as palavras não saíram.

— Sim, porque Sebastião tem a chave do gabinete e não estava no culto na hora do furto. Além disso, naquela manhã ele tinha preparado o pão da Ceia, e eu encontrei ao lado do computador farelo com o sabor inconfundível do pão que ele prepara.

Todos escutavam atentos.

— Minhas suspeitas aumentaram depois que fiquei sabendo que os bilhetes com as informações sobre o resgate foram escritos neste computador e impressos aqui — apontou Daniel para a impressora. — E você tem acesso a esta sala em horários em que a igreja está vazia.

Sebastião coçou a cabeça, sem saber se falava algo ou ficava quieto, esperando para ver onde tudo aquilo ia dar.

— Você é muito habilidoso com trabalhos manuais, sabe mexer em canos, fios, cozinha bem... quem garante que não sabe abrir uma fechadura? Poderia ter o conhecimento para abrir em poucos segundos a valise onde estava trancada a Bíblia.

Nesse ponto, Sebastião tomou a iniciativa de falar, mas foi interrompido por Daniel.

— Mas eu também tinha outro suspeito! Você, Ricardo.

Todos se voltaram para o antigo interno da casa de detenção de menores. No corredor, alguns balançaram a cabeça ou fizeram algum comentário, como que dizendo: "Eu não disse que esse menino não era convertido coisa nenhuma!".

— Afinal, você tem um histórico de crimes e muito pouco tempo de conversão. Poderia ter cedido à tentação. Para piorar, eu vi quando você desceu no meio do culto e só voltou no final.

Nesse momento, Benevides cruzou os braços e olhou para Pedrão. Em seu olhar, lia-se claramente: "Como esse rapazinho sabe de tantas coisas que nós não sabemos?".

— Eu estava com uma tremenda dor de barriga. Fiquei horas no banheiro — defendeu-se Ricardo.

Daniel sorriu.

— O tempo que você levou dava de sobra para arrombar a fechadura e abrir a valise, escrever os bilhetes no computador e imprimi-los. E minhas suspeitas se agravaram depois que eu segui você.

Desta vez, foi Ricardo quem arregalou os olhos.

— É, desculpe, meu amigo, mas eu segui você até aquele sebo de Bíblias.

O inspetor Benevides interrompeu:

— Sebo? Do que você está falando?

Daniel continuou:

— Ricardo coleciona Bíblias antigas. Ele as compra num sebo que vende livros religiosos. Eu pensei: esse seria um ótimo receptador para uma relíquia como a Bíblia de Gutenberg. Seria fácil lucrar por dois lados, pegar o dinheiro do resgate sem jamais devolver o livro roubado e depois vender a Bíblia para um receptador. Lucro duplo.

O inspetor Benevides ouvia atentamente as palavras de Daniel. Ricardo, visivelmente transtornado com o que estavam escutando, batucava freneticamente com os dedos na coxa.

— Mas tinha alguma coisa nessas minhas suspeitas que não batiam, e eu não conseguia perceber o que era. Depois que passei a ser acusado, meu raciocínio embotou e já não tinha as ideias claras na cabeça por culpa do nervosismo. Foi agora há pouco, na hora em que o missionário Cláudio começou a ler o texto bíblico da pregação, que tudo fez sentido. Peço até desculpas pela minha reação precipitada, mas temi que, se esperasse até o fim do culto para confirmar minhas suspeitas, o ladrão poderia fugir com o dinheiro da reforma da igreja.

Nesse momento, houve um burburinho generalizado. As pessoas não sabiam que o pastor Wilson tinha decidido usar os cem mil que tinham sido arrecadados no pagamento do resgate.

— Sei que todos se assustaram com a minha reação, e peço desculpas também por ter interrompido o culto num momento tão importante. Mas vocês logo vão entender que eu não podia deixar essa farsa seguir adiante.

O comentário só intensificou o burburinho. "Farsa?", questionavam todos, sem entender. O inspetor Benevides teve de intervir:

— Por favor, façam todos silêncio, senão serei obrigado a esvaziar o local!

Feito o silêncio, Daniel prosseguiu:

— A chave para descobrir o ladrão foi justamente o toque de ironia que ele quis dar ao seu plano: os versículos que escreveu nos bilhetes de resgate.

Todos se entreolharam, sem compreender aonde Daniel queria chegar. Ele estendeu a mão para o pastor Wilson, pedindo que lhe entregasse sua Bíblia. Folheou o livro e disse:

— Essa é uma das vantagens de ler bastante a Bíblia e memorizar suas passagens. Os versículos ficam gravados na memória e, se há algo diferente, na hora você percebe. Se vocês repararem nos três versículos que foram escritos nos bilhetes, vão notar que eles foram tirados de uma Bíblia traduzida na versão Revista e Corrigida, de João Ferreira de Almeida. E aqui na nossa igreja nós sempre usamos a Nova Versão Transformadora.

O inspetor Benevides franziu a testa, sem entender nada.

— Como é isso?

Daniel virou-se para o pastor Wilson.

— O senhor teria aqui algum exemplar da Bíblia na versão Revista e Corrigida?

O pastor fez cara de interrogação, mas caminhou até a estante onde guardava seus livros e olhou um a um, mas não encontrou nenhum exemplar na versão que Daniel pediu.

— Lamento, acho que só tenho essa versão em casa.

Então Daniel prosseguiu:

— Inspetor, existem versões diferentes da Bíblia. Todas dizem a mesma coisa, mas usam palavras diferentes. É como se uma dissesse "cão" e a outra, "cachorro". Mudam algumas palavras, sem alterar o sentido.

O policial fez um aceno com a cabeça, para mostrar que tinha entendido.

— Cada igreja costuma adotar uma tradução diferente. A nossa usa a Nova Versão Transformadora, que tem uma linguagem mais acessível. Se você observar, por exemplo, o versículo dezesseis do terceiro capítulo do Evangelho de João, verá que há sutis diferenças. Na Nova Versão Transformadora, se lê "Porque Deus amou tanto o mundo", e na Revista e Corrigida está "Porque Deus amou o mundo de tal maneira". São diferenças sutis, que podem passar despercebidas para quem não conhece bem a Palavra.

Daniel parou um segundo, para ver se o policial acompanhava seu raciocínio. Ele fez um "um-hum" com a boca. O jovem prosseguiu:

— Pois bem, nos três bilhetes, os versículos que o ladrão usou estão na versão Revista e Corrigida, com uma linguagem mais antiga, diferente da que usamos. Quando me dei conta disso, percebi que Sebastião estava fora do time dos suspeitos, pois eu descobri que até mesmo em casa ele usa a Nova Versão Transformadora — disse, lembrando-se da passagem do Sermão do Monte que ouviu o zelador recitar quando estava escondido dentro do armário.

Sebastião, que estava tenso desde que seu nome foi citado, fez uma cara de alívio. Mesmo sem ter entendido direito o "mistério", ficou feliz de ser descartado.

— A mesma coisa se aplica ao Ricardo. Estive na casa dele e me lembro de que absolutamente todas as Bíblias que vi lá eram diferentes da versão Revista e Corrigida, da mais nova à mais antiga. Além disso, testemunhei com meus olhos como esse garoto tem dado duro para ganhar seu sustento de forma honesta, trabalhando todos os dias, apesar do ambiente barra-pesada em que vive. Fica aqui uma lição para todos nós: não é porque uma pessoa tem um passado condenável ou porque é convertido há pouco tempo que deve ser posta no banco dos réus do nosso preconceito.

Ricardo sorriu para Daniel, que emendou:

— Eu queria aproveitar para pedir perdão a vocês dois em público por ter deixado fofoquinhas e comentários sem o menor fundamento influenciarem meu julgamento de seu caráter. Eu me deixei levar pelo preconceito e julguei você, Ricardo. Eu me deixei levar pela aparência e julguei você, Sebastião. Agora entendo que você não sobe sempre aos cultos não porque seja negligente, mas para cuidar das tarefas da igreja. Eu sei que, sozinho no seu quarto, você tem um relacionamento íntimo com Deus, sem ter que ostentar isso para os outros.

Sebastião sorriu, meio encabulado, meio feliz.

— Sempre que posso eu subo para o culto, é que fico atrás da pilastra da porta e ninguém me vê.

Daniel compartilhou o sorriso. Foi Benevides quem quebrou o silêncio.

— Bem, mas se não foram eles, o único suspeito que resta é você — comentou.

— Longe disso, inspetor. Se o ladrão tirou os versículos dos bilhetes de uma Bíblia na versão Revista e Corrigida, teria de ter trazido de fora, pois, como vimos, não há nesta sala nenhum exemplar dessa tradução. Quando percebi isso, vi que só poderíamos chegar a uma conclusão.

Naquele momento, dava para ouvir um alfinete cair no chão. Todos estavam com a respiração suspensa, olhos fixos em Daniel, em absoluto silêncio.

— Senhoras e senhores, apresento o ladrão da Bíblia de Gutenberg — apontou o dedo para o homem que estava ao seu lado.

◆ ◆ ◆

Era o missionário Cláudio.

◆ ◆ ◆

Foram necessários muitos minutos até que as pessoas ficassem em silêncio, tamanho foi o falatório. Com o rosto vermelho, as mãos apertando fortemente sua Bíblia de capa preta, o missionário Cláudio exclamou:

— Isso é um total absurdo!

Daniel se pôs de pé.

— Calma, vou explicar tudo. — Ele procurou as palavras certas e continuou: — Foi no momento em que ele começou a fazer a leitura da primeira carta de Paulo aos Coríntios que me dei conta de um importante detalhe. A versão dele é a Revista e Corrigida, que usa a palavra "caridade", enquanto a nossa usa o termo "amor".

— Mas isso não quer dizer nada — enfureceu-se o missionário, fuzilando Daniel com o olhar.

— De fato, não prova nada, mas me fez pensar. Na manhã de domingo, o senhor deveria ser a única pessoa neste templo que tinha um exemplar das Escrituras nessa versão. Realmente, o senhor estava presente o tempo todo no culto, então, se fosse o culpado, teria de ter agido antes. Pensei no que o senhor fez da hora em que entrou aqui até o momento da chegada do pastor Wilson. Vou tentar reconstituir seus passos nesse período. O senhor chegou à rodoviária por volta de sete horas, não é isso?

O missionário fez que sim com a cabeça.

— O diácono Wesley foi pegá-lo e, pelo que me lembro de seu relato, o deixou esperando dentro do gabinete das oito horas até cerca de vinte para as nove, quando o pastor Wilson chegou, certo?

Outra confirmação.

— Muito bem, nesses quarenta minutos, quantas vezes você voltou aqui, irmão Wesley?

O diácono pensou e respondeu:

— Uma vez. Vim trazer o café da manhã para ele.

— Quanto tempo depois de chegarem foi servido o café?

— Uns cinco minutos depois.

— Você serviu e saiu logo?

— Sim.

— Bem, com isso, ele teve pelo menos trinta minutos para ficar aqui sozinho, certo?

— Sim.

O missionário parecia muito desconfortável, o pé batendo no chão e os dedos tamborilando a capa preta de sua Bíblia. Daniel continuou:

— Onde ele estava sentado quando você o serviu, irmão Wesley?

— Bem ali onde você estava, na cadeira mais próxima do armário.

— E de onde veio o pão que você serviu para ele no café?

— Pedi um pedaço do pão que o Sebastião estava preparando na copa para a ceia.

Daniel sorriu de satisfação ao ver que todas suas suspeitas se encaixavam.

— Como eu imaginava. Bem, eu encontrei farelos desse pão junto ao computador. Pelo que deduzo, assim que o diácono Wesley deixou o gabinete, o missionário Cláudio pôs seu plano em ação. Levantou-se desta cadeira e sentou-se à mesa do computador, usando luvas para não deixar impressões digitais. Ligou o equipamento, abriu sua

Bíblia na versão Revista e Corrigida, digitou os bilhetes, imprimiu, recortou e jogou os restos no lixo. Tudo isso enquanto tomava seu café e comia o pão, deixando um pouco de farelo cair perto do teclado. Depois, surrupiou um envelope da gaveta, no qual, infelizmente para mim, estavam as minhas impressões digitais. Ele deixou o primeiro bilhete no porta-lápis e guardou os outros dois, que seriam deixados posteriormente na igreja. Por fim, desligou o equipamento e voltou calmamente ao seu lugar.

Foram longos instantes de silêncio, quebrado pelo missionário.

— Isso é pura especulação, não há prova alguma dessa bobagem toda.

O jovem não se deu por vencido.

— Outra coisa que me fez suspeitar do missionário Cláudio: na apresentação que ele fez no domingo, disse que a Bíblia de Gutenberg era uma relíquia do século catorze, como eu anotei na ocasião — disse, sacando de dentro de *A História da Bíblia* a folha de papel onde tinha anotado a informação. — Só que, quando li este livro, descobri que os 180 exemplares que foram impressos por Gutenberg não são do século catorze, mas do século quinze. Mais precisamente, de 1455. Fiquei intrigado com um erro desses, que dificilmente seria cometido por alguém que tem intimidade com o assunto.

O pastor Wilson retrucou:

— Daniel, essa sua teoria deixa muitas perguntas sem respostas. Por que ele deixaria para furtar a Bíblia justamente aqui, se a carregou por toda a viagem desde a

Universidade do Texas? E por que ele pediria apenas cem mil de resgate, se sabe que esse livro custa dezenas de vezes mais? E por que pedir resgate se poderia vender a Bíblia para algum colecionador e faturar muito mais? E como ele teria tempo de pegar a Bíblia se eu a vi na valise na hora em que foi trancada e não desgrudei mais do missionário Cláudio?

O jovem sorriu mais uma vez, sentindo a ansiedade que pairava no ar.

— Foi para responder a essas perguntas que me arrisquei a descer correndo até aqui no meio do culto. Até aquele momento, tudo o que eu tinha era um palpite, e precisava confirmá-lo. Quando pensei tudo isso lá em cima, lembrei que neste armário havia algo que poderia ser a confirmação e voei até aqui para checar minha suspeita. Graças a Deus, encontrei o que precisava.

Ele estendeu a mão para a mesa e pegou o exemplar de *O Arauto* que tinha retirado da gaveta às pressas, sob a mira de Pedrão. Era a edição do mês anterior, que trazia na primeira página a matéria sobre o culto que o pastor Wilson tinha organizado ao ar livre na praça do bairro e onde tinha anunciado o resultado da campanha de arrecadação de fundos para a ampliação do templo. A manchete "Glória a Deus! As obras vão começar!" vinha estampada acima de uma enorme foto que o próprio Daniel havia tirado de cima do púlpito. Ela mostrava o pastor Wilson de costas e a multidão lá embaixo, dezenas de rostos sorrindo e olhando para ele.

— Pastor, o missionário Cláudio não vendeu a Bíblia antes de vir aqui e nem vendeu para alguém que pagasse milhões porque desde o início tudo o que ele queria era o dinheiro da reforma do templo. Veja só — e estendeu *O Arauto* para ele.

O jornal correu de mão em mão, com Daniel apontando um detalhe da foto. No meio da multidão, era possível ver um rosto diferente dos da maioria, sério, sisudo. Era um homem de pele bem branca, de cabelos crespos e negros.

Era o rosto do missionário Cláudio.

— Meu Deus... — sussurrou o pastor Wilson.

— Ele pediu o resgate no valor exato que foi arrecadado. E a única ocasião em que isso foi dito para pessoas de fora da igreja foi naquele culto. Concluí, então, que ele precisava estar presente naquele dia e local. E, de fato, ele estava lá e ouviu quando o senhor falou que tinha esse dinheiro todo em caixa. Certamente começou a arquitetar todo esse plano, em detalhes, a partir daquele momento. Teve semanas para isso. Contou até com a honestidade do pastor Wilson, pois sabia que ele não se negaria a dar o dinheiro da igreja para cobrir o valor do resgate. Depois, seria fácil. Era só pegar o dinheiro e desaparecer.

E, virando-se para Benevides, que escutava tudo com o queixo caído, Daniel continuou:

— Inspetor, o senhor já recolheu as digitais desse homem. Se fizer uma investigação, estou certo de que vai descobrir que ele não é missionário coisa nenhuma. Apenas se fez passar por um. Suas credenciais devem ser falsificadas, assim como provavelmente seu nome também é falso. E não temeria arriscar dizer que ele não tem vínculo algum com a Universidade do Texas, nem mora nos Estados Unidos.

Um telefonema para lá deve confirmar que a verdadeira Bíblia de Gutenberg provavelmente nunca saiu do *campus* da Universidade. Este homem não passa de um golpista. Um golpista que prepara muito bem os seus golpes. Deve ter estudado em detalhes o meio evangélico, para ter se infiltrado com tanta facilidade e enganado todos nós.

Cláudio estava mudo. Olhava para Daniel e todos os presentes como um animal acuado, sem saber o que dizer. Em tom ameaçador, dirigiu-se para o jovem:

— Garoto, você tem o diabo no corpo.

Daniel estava de bom humor.

— Sabia que os fariseus disseram algo bem parecido sobre Jesus?

Nesse momento, Pedrão botou a mão no ombro de Cláudio. E avisou:

— Olha, até esclarecermos tudo isso, é bom o senhor não se exaltar. Se o garoto estiver certo, o senhor está bastante encrencado.

Benevides virou-se para o colega:

— Pedrão, acione a central para checar a identidade deste cavalheiro. Peça para serem rápidos.

O pastor Wilson olhava incrédulo para Cláudio. Como pôde ter sido enganado tão facilmente? Ele tinha olhado as credenciais do "missionário" e pareciam estar em ordem. Cláudio tinha até mesmo trazido cartas de recomendação "dos Estados Unidos", todas em inglês. Será possível que fosse falsificado? No meio disso tudo, um pensamento ainda o intrigava.

— Mas, Daniel, se o Cláudio ficou comigo do momento em que vi a Bíblia na valise até a hora em que o irmão

Wesley a trouxe até o púlpito, como foi que ela simplesmente desapareceu?

Todos pararam. Era uma dúvida crucial. Cláudio deu um sorriso de canto de boca, como se dissesse "quero ver sair dessa agora". Daniel pediu a palavra.

— Essa foi a parte mais difícil de entender, mas tenho uma teoria. Pastor, como foi exatamente o momento em que o senhor viu a Bíblia?

Pastor Wilson pensou um tempo. Depois, respondeu:

— Eu cheguei, o cumprimentei e conversamos um pouco. Ele me apresentou suas credenciais. Depois, me perguntou se eu queria dar uma olhada na Bíblia. Eu disse que sim. Ele destrancou a valise e lá estava ela.

— Qual era seu aspecto?

— Tinha uma capa envelhecida, em tons escuros. As laterais eram bem amareladas.

— O senhor chegou a folhear?

— Não. Naquele momento o diácono Wesley entrou na sala para avisar que estava na hora do culto. Por isso, Cláudio fechou a valise e a deixou sobre a mesa. Saímos, trancamos a porta e subimos.

Daniel insistiu:

— Mas o senhor viu exatamente o momento em que ele fechou a valise? O senhor viu isso de fato?

Pastor Wilson pensou um pouco mais:

— Na verdade... quando o Wesley entrou, eu me virei para falar com ele. Quando voltei meus olhos novamente para a valise, ela já estava fechada.

— E o que Cláudio tinha nas mãos nesse momento?

Pastor Wilson fez silêncio, pensativo. Depois, seu rosto iluminou-se e ele olhou para Cláudio. Seus olhos se voltaram para o objeto que ele trazia nas mãos o tempo todo.

— Aquela Bíblia de capa preta.

Daniel caminhou até Cláudio, pediu licença e retirou a Bíblia de suas mãos. Segurou a capa e a puxou suavemente. Todos viram quando a capa preta desprendeu-se. Na parte de dentro, ela era de outra cor. De um lado, parecia uma capa padrão, moderna, de couro preto. No verso, era pintada de forma a parecer um livro antigo.

Virando-se para o pastor, Daniel perguntou:

— Foi essa a capa que o senhor viu?

A resposta foi um lento "sim" com a cabeça.

— Na verdade, tudo o que ele fez foi aproveitar sua distração para virar a capa ao avesso. Em um segundo, a Bíblia de Gutenberg se transformou na Bíblia de culto do missionário Cláudio. Quando ele fechou a valise, ela já estava vazia e ele subiu normalmente para o santuário com a raridade de meia-tigela bem à vista de todos.

Naquele momento, todos na sala e a multidão que se acotovelava no corredor fitaram o golpista com sentimentos que iam da ira à pena. Foi Wesley quem quebrou o silêncio.

— E dizer que íamos dar o dinheiro da igreja na mão desse lobo em pele de cordeiro.

Aquilo era o bastante. O inspetor Benevides virou-se para Cláudio que, àquela altura, olhava fixamente o chão, completamente sem ação, e deu a sentença:

— O senhor está preso!

Capítulo 11

NOITE DE LUA

O choro pode durar toda a noite,
mas a alegria vem com o amanhecer.
SALMOS 30.5

Aglomerados na porta da igreja, todos viram quando Cleber foi posto, com as mãos algemadas, dentro do camburão. Isso mesmo: o computador da polícia não teve trabalho em identificar pelas impressões digitais o ladrão da Bíblia que nunca foi furtada — simplesmente porque nunca existiu. Seu nome na verdade era Cleber, procurado em quatro estados por golpes, falsificações, desfalques, fraudes e outros crimes. Mas, graças a um jovem que gostava de ler a Bíblia e tinha um raciocínio afiado, sua escalada de crimes havia chegado ao fim.

Antes que a porta do carro fosse fechada, Cleber virou-se para Daniel e lançou um olhar fulminante. Sem se intimidar, o futuro jornalista saiu de onde estava, caminhou até ele e colocou um folheto evangelístico no bolso de seu paletó.

— Jesus ama você — disse, pouco antes de o automóvel partir com a sirene ligada.

Enquanto via o camburão dobrar a esquina, Daniel sentiu muitas mãos que o cumprimentavam e o abraçavam. Foram felicitações e saudações de irmãos e das admiradoras do Bênção. Ah, agora é que as orações apaixonadas iriam bombardear os céus! Daniel ficou surpreso mas feliz de ver até um inesperado rosto familiar que, de longe, lançou um aceno contido. Era Maneco, o irmão traficante de Ricardo, que tinha decidido ir ao culto aquela noite.

Dona Alzira beijou o filho, emocionada e aliviada. Bruno apertou forte seu pescoço. Até Pedrão foi falar com Daniel.

— Esse seu Jesus é bom mesmo. Eu errei poucos tiros na minha vida. E, se tivesse acertado esse, seria a maior injustiça do mundo. Bom trabalho, garoto, você vai dar um tremendo repórter.

Aos poucos, os cumprimentos foram cessando. As pessoas foram deixando o local e voltando para casa, comentando sobre aquele que seria o assunto dos meses seguintes.

Até que restaram poucas pessoas por ali.

Daniel olhou para o pastor Wilson, que estava encostado na porta da igreja, observando a lua no céu. Os dois permaneceram um longo tempo em silêncio. Por fim, aquele homem de cabelos grisalhos voltou-se para o rapaz e disse:

— Daniel, eu lhe devo desculpas. Preferi olhar as circunstâncias quando devia ter julgado a árvore pelos frutos. E você sempre deu bons frutos. Perdoe-me.

O jovem olhou para o homem que considerava o pai que não tinha e percebeu que aquelas palavras o tinham tornado muito maior aos seus olhos. "A humildade realmente engrandece ainda mais os grandes homens", pensou.

Depois de alguns momentos de reflexão, lançou um olhar de concordância.

— Sabe de uma coisa, pastor? Quando estava no meio da confusão toda, não entendia por que Deus tinha permitido que tudo aquilo acontecesse. Mas agora entendo com clareza.

Pastor Wilson sorriu.

— É mesmo? E o que você aprendeu com isso tudo?

Daniel refletiu alguns instantes, olhou para o céu e respondeu:

— Aprendi a não julgar pela aparência. A não julgar pelo passado. A valorizar cada minuto de convívio com aqueles que nos amam. A viver exclusivamente pela verdade. A jamais fazer algo ilegal. A saber pedir perdão quando for necessário. E que, com Jesus, o crime realmente não compensa.

Fez silêncio novamente. Seus olhos se encheram de lágrimas.

— E, principalmente, pastor, entendi um pouco mais sobre o que significou o sacrifício de Jesus na cruz. Não foi apenas a dor de cravos rasgando sua pele. Foi um sofrimento voluntário de alguém que sabia que era inocente mas que foi rejeitado e perseguido e decidiu sofrer sozinho. Porque seu coração era muito maior do que sua própria vida.

Pastor Wilson sorriu. Juntos, ficaram muitos instantes parados, pensativos. Por fim, o pastor fechou a porta da igreja, chamou sua esposa, desceu os degraus e passou o braço em torno dos ombros de Daniel.

— Vamos, amado, que já é tarde.

E foram caminhando noite adentro, juntos, como pai e filho, pastor e ovelha, amigos de coração. E, acima de tudo, como dois irmãos que, a partir daquele dia, compreendiam um pouco mais o real significado de verdades e valores nobres que foram ensinados e vividos intensamente, dois mil anos antes, por um carpinteiro da Galileia.

Sobre o autor

Maurício Zágari é escritor, editor e jornalista. Escreve regularmente em seu *blog* Apenas (apenas1.wordpress.com).

Compartilhe suas impressões de leitura escrevendo para:
opiniao-do-leitor@mundocristao.com.br
Acesse nosso *site*: www.mundocristao.com.br

Equipe MC:	Daniel Faria (editor)
	Heda Lopes
	Natália Custódio
Diagramação:	Luciana Di Iorio
Gráfica:	Imprensa da fé
Fonte:	Sabon
Papel:	Pólen Natural 70 g/m² (miolo)
	Cartão 250 g/m² (capa)